현재 당신의 프로필은?

신분
키워드
한줄소개

LOADING

긍파감 소개

독자 여러분 안녕하세요? 여러분과 함께 저희 출판사의 첫 여정을 함께할 수 있어서 기쁩니다. 저희 출판사는 '긍정을 파는 감자'라는 이름에서 알 수 있듯이 세상에 긍정을 전하려는 목적으로 설립되었습니다. '감자'라는 단어는 '나는 말하는 감자.'라는 겸손한 의미를 가진 유행어에서 따왔으며, 젊은 느낌과 겸손한 느낌을 주기 위해 채택되었습니다. 저희 '긍정을 파는 감자'는 여러분들에게 겸손한 태도로 더 나은 삶에 대한 방향성을 제시하는 출판사가 되고자 최선을 다할 것입니다. 특히, 앞으로의 2년 동안은 도전에 중점을 둔 메시지를 세상에 전달하는 프로젝트를 진행할 것입니다. 더 나아가 출판이 아닌 형태로도 이러한 메시지를 세상에 전달하고자 합니다.

머리말

이번 책의 기획 의도는 매우 다양합니다. 그러나 각각의 의도에는 주된 키워드가 있는데, 바로 '도전'입니다. 본 책은 '도전'에 관심 있는 대학생들로 구성되어, '도전'에 어려움을 겪을 이들을 위해 제작되었습니다. 일련의 출판 과정을 대학생끼리 거의 다 하였으므로 출판이라는 퍼포먼스 또한 '도전'입니다.

첫 번째 기획 의도는 '도전 앞에서 방랑하는 청춘들에게 도움을 주자.'입니다. 두 번째는 '출판이라는 도전을 사람들에게 솔선수범 보여주어 도전을 독려해 보자.'입니다. 세 번째는 '같이 참여하는 구성원들 스스로 도전에 대해 생각해 보고 스스로 발전할 기회를 얻게 하자.'입니다. 도전에 관한 주된 기획 의도는 위와 같습니다.

부가적인 기획 의도도 존재합니다. 글쓴이들의 의견을 일방적으로 다 받아들이지 말고, 비판적으로 받아들이는 연습을 할 기회를 만들자는 의도를 담았습니다. 책을 쌍방향 소셜 미디어의 형태로 디자인하여, 댓글을 통해 게시글에 대한 다양한 평론을 게재하는 형식으로 본 의도를 실현하였습니다. 그 의도를 잘 참고하시어 저희 책을 읽어주시면 무척 감사하겠습니다.

이상으로 머리말을 마치겠습니다. 그러면 이어질 페이지에서 재미있고 유익한 시간 보내시길 바랍니다. 감사합니다.

편집장 및 출판사 대표, 강경민 드림.

글쓴이 소개

Gamja Talk

자신감을 갖고 일단 시도하라

해보기도 전에 하고 싶은 일을 하는 걸 시도조차 두려워하지 마세요!

자신감을 갖고 일단 시도해 보세요! 당신은 대단한 사람일지 몰라요!

소개

안녕하세요, 저는 경희대학교 물리학과에 입학하여 수학과를 다전공(복수 전공)하고 있는 윤종서라고 합니다. 이번에 KAIST 수리과학과 대학원에 합격하여, 내년(2024년)부터는 KAIST 대학원에서 계속해서 수학을 공부할 예정입니다.

경희대학교 물리학과 입학 (2020년 봄)

대학교 1학년 때의 저는 자신감이 굉장히 결여되어 있었습니다. 대학교 1학년 일반물리학 시간에 각자 파트를 맡아서 발표하는 과제가 있었는데, 몇몇 친구들은 발표할 때 대학 수학 개념을 사용하여 설명하였고, 몇몇 친구들은 고등학생 때 이미 대학교 1학년 때 배우는 물리학을 배우고 왔다고 하였습니다. 이때 당시에 저는 SNS에 다음과 같은 글을 남겼습니다: "자괴감이 들어… 남들은 행렬은 기본이고 벡터의 외적, arctan, 편미분은 기본이고 선적분을 하질 않나… 일반물리학을 고등학생 때 다 하고 오지 않나… 천재들 사이에 낀 바보가 된 느낌이야…" 그래서 저는 주변 친구들을 보고 '이런 사람들이 경희대학교에 오는 거구나' 하는 생각이 들었고, 저 자신을 '어쩌다 운 좋게 분수에 맞지 않는 경희대학교에 합격한 사람' 정도로 생각하게 되었습니다. 그때 당시에 저는 물리학자라는 장래 희망을 포기할 뻔했습니다. 하지만 그러던 중 문득 고등학생 때의 기억이 떠올랐습니다. 고등학생 때, 이과를 선택하여 처음으로 물리학을 배웠을 시절, 개념을 충분히 이해했다고 생각했으나 수능특강 문제를 풀고 나서 채점해 보니 절반 이상을 틀렸던 때 들었던 좌절감, 학원에서 선행학습을 해서 수능특강을 이미 한 번 끝까지 풀어봤다는 친구들, 그리고 열심히 공부해 보니까 술술 풀리던 수능특강 문제들. 그때 저는 이런 생각을 했습니다: '고등학생 때도 처음에는 정말 못 할 것만 같아 보였지만 해보니까 됐었는데, 대학교 공부도 지금은 어려워 보이지만 하다 보면 되겠지.' 근거 없는 자신감이었지만 일단 해 봤습니다. 교재는 두꺼웠지만 막상 들여다보니 생각보다 공부해야 할 양이 많지 않았습니다. 그렇기에 기억하기 어려운 부분을 반복해서 볼 수 있었고 이해가 가지 않는 부분을 집중해서 고민할 수 있었습니다. 그러다 보니 하나둘씩 이해가 가기 시작하였고, 결국 4학년인 오늘날까지 어려워 보이는 과목을 공부하기 막막할 때마다, 해보니까 됐던 과거를 떠올리며 꾸준히 공부를 해오고 있습니다. 만약 제가 대학교 1학년 때나 고등학생 때 처음부터 좌절하여 시도조차 하지 않았다면 지금과는 상당히 많이 다른 길을 걸었을 것이라 생각합니다. 대학 교재를 펼치자마자 처음 보는 난해한 개념들이 두려워서 공부를 시도조차 못하고 있는 후배들에게 저는 종종 말합니다: "처음 미적분을 배웠을 때도 지금과 같은 감정이었지만 공부하다 보니까 은근할 만했잖아. 대학교도 그럴 거야. 처음에는 어려워 보여도 하다 보면 신기하게 머릿속에 들어오더라."

경희대학교 수학과 다전공 (2021년 봄)

대학교에서의 공부가 어느 정도 익숙해져가던 1학년 2학기 때, 재밌어 보여서 신청했던 수학과의 기하학개론을 듣고, 수학의 매력을 느끼고 2학년 1학기 때 수학과 과목을 3개나 신청해서 들었습니다. 그 후 수학에 엄청 빠져서 수학과 다전공을 하기로 결정했습니다. 하지만 수학과 다전공은 생각처럼 순탄하지만은 않았습니다. 물리학과의 전공필수 과목과 수학과의 전공필수 과목이 겹쳐서 둘 중 하나를 내년에 들어야 하는 상황도 종종 생겼고, 전공선택 중에서도 듣고 싶었던 과목이 서로 겹쳐서 둘 중 하나를 포기해야 하는 상황도 생겼습니다. 심지어 대부분의 과목이 1, 2로 나뉘어져 있던 탓에 봄에 1과목을 듣지 못하면 내년으로 해당 과목을 통째로 미루거나, 여름에 1과목을 독학하고 가을에 2과목을 들어야 했습니다. 실제로 저는 수리물리학, 양자역학, 고체물리, 수치해석 1을 듣지 않고 2과목을 들었습니다. 사실 이건 정말 힘들었습니다. 이전 내용을 제대로 배우지 못한 채 책만 슬쩍 보고 독학한 얕은 지식으로 뒷부분을 공부하는 것은 정말 많은 시간과 노력이 필요했습니다. 그렇지만 괴롭지는 않았습니다. 생각보다 교과서는 친절했고, 위에서 말했듯이 공부하다 보니 여태 그래왔던 것처럼 은근히 할 만했습니다. 제가 정말 좋아하는 말 중 하나가 '시작이 반이다.'입니다. 겉으로 보기에는 정말 까다롭고 어려워 보여도 실제로 시작해서 하다 보면 의외로 별거 아닌 것들이 참 많습니다. 하지만 몇몇 사람들은 까다로워 보이는 겉모습만 보고 시작조차 두려워하는 경향이 있습니다. 저는 시작을 두려워하는 사람들이 일단 하고 싶은 것들을 시도해 봤으면 좋겠습니다. 실제로 그것이 어려운지 아닌지는 그 이후에 판단해도 되니까요. 실제로는 그다지 어렵지 않을 수도 있으니까요.

KAIST 수리과학과 대학원 지원 (2023년 여름)

수학과를 다전공하여 물리학과 수학을 같이 공부하다가, 어느덧 마지막 학년이 되었고 졸업 이후의 삶을 준비해야 할 시기가 다가왔습니다. 어렸을 적 저의 꿈은 노벨 물리학상을 타는 것이었기 때문에, 대학원 진학은 중학생 때부터 생각했었습니다. 하지만 대학교에 와서 수학에 눈을 뜨기 시작했고, 물리학보다는 수학이 더 제 인생을 걸 모험을 할 만할 정도로 매력이 있었기에, 수학과 대학원을 가기로 결심했습니다. 그러던 도중 대한민국의 대학원 중 수학과의 인재를 양성할 만한 대학들을 찾아보다가 KAIST에 눈길이 가게 되었습니다. KAIST가 하는 입학 설명회를 들었는데, 수학의 다양한 분야를 연구하는 수많은 교수님을 보고, KAIST가 바로 저를 키워줄 대학이라고 생각하게 되었습니다. 그런데 그때 당시에 저의 학점은 3.7/4.3으로 KAIST에 들어간 다른 선배님들에 비해서는 턱없이 낮은 성적이었습니다. 하지만 항상 갖고 있던, 그래도 일단 해보자는 마인드로 입학원서를 제출하였습니다. KAIST 수리과학과 대학원은 입학시험과 면접을 본 후 합격자를 결정하며, 입학시험의 비중이 꽤나 크다고 하여 입학시험 준비를 한 달 동안 거의 집에 박힌 채로 열심히 준비하였습니다. 기출문제도 찾을 수 없었기 때문에 KAIST 수리과학과 홈페이지에 적혀 있는 중요 키워드를 중심으로 공부했습니다. 사실 입학시험 치고 나서 1차부터 떨어질 줄 알았습니다. 하지만 정말 놀랍게도 1차를 합격하였고 2차 면접을 보러 갔습니다. 면접을 봤을 때 실수를 정말 많이 했습니다. 준비하지 않아 모르는 것도 많았고, 심지어는 너무 떨려서 아는 것도 잘못 말하고 나왔습니다. 당연히 탈락할 줄 알았습니다. 하지만 정말 놀랍게도 최종 합격하였습니다. 그러던 중 저는 경희대학교에 붙었을 때가 떠올랐습니다. 경희대학교 논술을 봤을 때에도, 보고 나서 논술시험장을 나오면서 당연히 떨어질 거라 생각했었고, 논술 발표 당일에도 별 기대를 안 하고 있었는데 담임 선생님께 합격 소식을 들었었습니다. 이러한 생각이 머릿속을 스쳐간 후, 저는 지금껏 제가 스스로를 너무 과소평가하고 있다는 생각이 들었습니다. 지금껏 면접 때의 실수를 계속해서 되뇌면서 스스로 자책질하고, 제 인생의 가치를 스스로 깎아내리고 있었는데, 멀리서 바라보니 누구나 했을 법한 실수였습니다. 물론 현재에 안주하며 의미 없는 삶을 이어가면 발전이 없을 것입니다. 하지만 본인의 가치를 본인 스스로부터 낮게 잡을 필요는 없습니다. 만약 제가 처음부터 제 가치를 완전히 낮게 잡았다면 KAIST에 지원조차 못 했을 것이고, 지금과는 완전히 다른 미래가 펼쳐졌을 것입니다. 본인의 능력으로 안 될 것 같아 보이는 일도 일단 시도해 보세요. 밑져야 본전이고, 어쩌면 예상 밖의 결과를 맞이할 수도 있습니다. 그리고 본인의 능력이 생각보다 괜찮다는 것 또한 깨달을 수 있고요.

결론
이렇게 저는 처음에는 스스로의 능력에 대한 확신을 가지지 못한 상태로 자기 자신을 과소평가했지만, 일단 시도해 봄으로써 결국에는 KAIST 입학이라는 목표를 이루어 냈습니다. 스스로에 대한 자신감도 생겼고요. 이제 저는 KAIST 대학원에서 수학을 공부하고 연구할 것입니다. 한 번도 해보지 않은 일이라 정말 두렵기도 하고 제가 과연 석사, 박사과정을 무사히 버텨낼 수 있을지 아직 확신이 들지 않기도 합니다. 하지만 지금껏 그래왔던 것처럼, 일단 해보려고요. 여러분들도 하고 싶지만 용기가 나지 않았던 일이 있다면, 일단 해보세요. 생각보다 어려운 일이 아닐 수 있으며, 여러분의 능력이 생각보다 뛰어날 수도 있습니다. 자신의 가치를 너무 낮게 단정 짓지 마세요. Try it!

작성자

#시도 #자신감 #용기

작성자

1. 제 글에 대한 한 줄 평을 적어주세요!

2. 제 글에 대한 소감을 적어주세요!

3. 제 글을 읽고나서 제게 해주고 싶은 말을 자유롭게 적어주세요!

#긍파감챌린지

강민욱

1. 본인을 과소평가하지 마라. 당신은 생각보다 뛰어나다.

2. 글쓴이는 대학에 입학하여 물리학을 전공하지만 남들에 비해 스스로가 바보가 된 기분을 느꼈다. 하지만 좌절하지 않고 과거를 떠올리며 공부하고 수학을 다전공하고 결국엔 KAIST 수리과학부 대학원에 입학하게 되었다. 아직 글쓴이의 도전은 끝나지 않았겠지만 이미 괄목할 만한 결과를 이루었다. 비록 시작은 남들에 비해 뒤처진다고 생각할지도 모르지만 일단 시도하는 자세로 임하는 것이 도움이 된다는 것을 말하고 있으며 자신이 가고 싶은 길을 걸어가는 점에서 훌륭하다고 생각한다.

3. 나도 내 전공에 대한 의문을 품는다. 학생 때는 내가 제일 잘한다고 생각했고 좋아했다. 하지만 대학에 진학하고 나서는 숱한 천재들이 보인다. 나는 아무것도 아닌 존재가 되어버린 듯한 기분이 들었다. 이는 지금도 마찬가지이다. 수많은 학생 사이에서 내가 이 길을 걷는게 맞을까라는 의문이 계속 든다. 하지만 이 글을 읽고 일단 해보려고 한다. 뛰어난 학생들도 못 했던 과거가 있었듯이 나도 훗날 훌륭한 결과를 얻기 위해 노력할 것이다. 이런 생각을 갖게 해준 글쓴이에게 감사를 전한다.

임평화

질문 1. 겁이 날 땐 나이키처럼 JUST DO IT

질문 2. '그냥 해보기'는 성취에 있어 실제 가치보다 훨씬 평가절하된 덕목이다. 더구나 요즘처럼 '게으른 완벽주의'에 빠지기 쉬운 환경에서는 더더욱 그렇다. 인스타그램, 유튜브, 인터넷 뉴스, 어디를 봐도 이미 '완성형 인간'투성이라서 우리는 자꾸 해보기도 전에 주눅이 든다. 저 정도로 해낼 수 있는 게 아니면 괜히 발 들였다가 창피만 당하고 끝날 것 같다. 쳐다보기만 해도 알아서 기가 죽는데 꼭 어떤 못된 사람들은 면전에다 이죽대기까지 한다. "야, 쟤네랑 너랑 같냐? 넌 절대 저렇게 못 해." 아, 나도 안다고!

그렇지만 그 완성형 인간들도 처음에는 나랑 똑같았을 터다. 그들의 인생사를 살펴보면, 어린 시절 의욕 넘치게 하던 일에 초 치는 소리 들어보지 않은 사람이 하나도 없다. 그뿐인가? 모두에게 초보 시절은 있기 마련이다. 처음부터 하늘의 계시를 받아 모든 지식을 머리에 넣은 채로 태어나는 사람 같은 건 세상에 없다. 재능의 편차가 있으니 끼어들지 않는 게 맞는다는 것도 어불성설이다. 인생은 '쟤보다 잘하려고' 사는 게 아니라 어제보다 더 나은 오늘의 내가 되려고 사는 거니까.

하지만 알면서도 높은 산 앞에 서면 선뜻 걸음을 떼기가 두려워진다. 그럴 땐 정상에서 잠시 눈을 돌려, 집에서부터 등산로 초입까지 걸어온 나의 경로를 되짚어봐야 한다. 글쓴이가 고등학생 때의 기억으로 학부 과정을 무사히 마치고 대학원 합격 이후 자신의 가치를 재확인했듯이 말이다. 그러면 간신히 한 걸음을 뗄 용기가 난다. 정상까지 이르기엔 그 단 한 걸음이면 족하다.

질문 3. '일단 해보면 될 거다'라는 마인드셋을 스스로의 과거 성취 경험에서 찾으신 것이 존경스럽습니다. 필즈상 기대할게요!

 오영택

1. 스스로 본인을 판단하기에 부족하다고 느껴도 포기하지 말고 도전한다면 기회가 올 것이라는, 생각보다 본인은 뛰어난 사람이니 자신감을 잃지 말고 노력하면 좋은 결과가 있을 것이라는 글이다.

2. 글을 읽으면서, 학업과 관련해서 같은 생각을 하는 나와 많이 닮아있어 나에게 대입하여 생각해보게 되었다. 나도 대학교에 입학해서, 그리고 복학해서, 다른 학생 들과 다르게 이해가 잘되지 않아 회의감이 들 때도 많고, 과제도 못 해내는 내가 한심하게 느껴질 때도 많았다. 그러나 글을 읽으며 나 이외에도 이런 생각을 하는 친구가 있었구나 하는 생각이 들었으며, 좌절하지 않고 꾸준히 해야겠다는 생각을 하게 되었다.

3. 자신이 부족하고, 남들과 비교하여 뒤떨어진다는 생각을 가졌지만 크게 개의치 않 고 '되겠지'라는 생각으로 노력한 것이 대단하다고 느꼈고, 그러한 결과도 좋게 나 와 축하하고 싶다. 앞으로도 긍정적인 마음가짐으로 꾸준히 노력하여 주요한 연 구 를 하는 사람이 되었으면 좋겠다.

Enter Reply

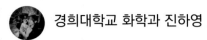 경희대학교 화학과 진하영

도전하지 못해 후회하는 이들에게, '또 후회하기 전, 지금부터'

나는 하고 싶은 게 너무 많았지만, 늦었다는 생각이 들어 덮어두었다가 더 큰 후회와 미련을 느꼈다. 그래서 더 크게 후회하기 전에 도전해 보자는 생각으로 입시가 끝나자마자 꿈들에 도전해 보기 시작했다. 현재 나는 도전에 전혀 후회하지 않으며, 오히려 지금 선택에 만족하고 지금의 삶이 즐겁다.

안녕하세요. 이런 글을 써보는 건 처음이라 기분이 오묘하네요. 제 소개부터 해보겠습니다. 저는 경희대학교에서 화학을 전공하는 1학년, 스무 살 진하영이라고 합니다. 이런저런 분야에 관심이 많고 하고 싶은 것도 넘쳐나는 아직 어린 새내기입니다.

어릴 때부터 항상 하고 싶은 게 많았어요. 아주 어릴 때 장래 희망을 써놓은 것을 보면 소설가, 과학자, 아나운서, 기자, 변호사, 음향 감독…. 하고 싶은 것이 너무나도 많았습니다. 그 꿈 중 많은 것들은 시간에 녹아 흐려지고 사라졌지만, 꿈이 많던 어린아이는 조금씩 자라서 꿈이 많은 학생이 되었습니다.

하지만 고등학생이 되었을 때쯤에는, 현실적으로 모든 꿈이 나의 진로가 될 수 없단 사실을 깨달았습니다. 그래서 좋아하는 것 중 딱 하나만 진로로 남겨두고 모든 것을 내려두었어요. 선택한 하나의 길이 화학을 전공하는 것이었고 그것이 제가 생각한 가장 현실적인 선택지였습니다. 안정적이고 경제적으로 살 수 있을 만한 길, 그 조건에 맞는 가장 최고의 선택이라고 생각했습니다. 물론 지금도 그렇게 생각하고, 그 선택을 후회하지도 않습니다. 한편 덮어둔 꿈들에 도전하고 싶은 마음도 컸지만 이제 와 새로 시작하기엔 늦은 것 같은 불안감, 재능 부족으로 생길 무력감이 너무 무서워 그 마음을 애써 외면했습니다. 꿈꿔왔지만 외면했던 길로 들어섰을 때, 적성에 맞지 않아 다시 새로운 길을 찾아야 할까 두려웠기 때문입니다.

그렇게 고등학교 3학년이 되었습니다. 똑같은 나날들이 반복되었고 너무 많은 스트레스에 지칠 대로 지친 상태로 1년을 보냈습니다. 그러던 중 음악, 음향 감독, 뮤지컬과 같은 덮어두었던 것들이 떠오르기 시작했습니다. 그 꿈들이 조금씩 떠오르자 남아있던 미련과 입시에서 벗어나고 싶은 마음이 합쳐져 주체할 수 없이 커졌습니다. 그래서 대리만족이라도 해보고자 쉬는 시간에는 뮤지컬이나 밴드 영상을 찾아보고, 공부가 너무 하기 싫을 때는 혼자 코인 노래방에 가서 10분씩 부르고 나오기도 했습니다. 하지만 대리만족조차 되지 않는 순간이 찾아왔고, 덮어둔 꿈에 대한 미련이 제 마음을 흔들어 놓곤 했습니다.

가장 많이 들었던 생각은 '처음 꿈을 가졌을 때 도전해 볼걸.'이었습니다. 사실 중고등학생 때가 도전하기에 늦은 시기는 전혀 아니죠. 초등학생 때 덮었던 '뮤지컬'이란 꿈도 생각납니다. 지금 생각하면 그때는 왜 늦었다고 생각했는지 참 웃기고 아쉬워요. 그때 도전했으면 지금쯤 뭔가 이루었거나, 아예 미련을 버렸을 수도 있었을 텐데요. 이렇게 후회가 조금씩 쌓이다 보니 수능을 볼 때쯤에는 그런 생각을 했습니다. 수능이 끝나고 나서는 그 꿈이 무엇이든지 도전해 보자고. 꿈에 도전하는 건 직업으로 도전하는 것이 아니어도 해볼 수 있다는 걸

그때쯤 뒤늦게 알았습니다. 도전해 보고 그걸 직업으로 삼을지는, 그때의 내가 다시 고민해 볼 수 있으니까요.

수능이 끝나자마자 하고 싶은 것들을 모두 시작했습니다. 뭐부터 할까, 이것만 할까, 재지 않았습니다. 생각나는 것, 할 수 있는 것은 오래 고민하지 않고 바로 시작했어요. 친구들과 합주도 하고 베이스 기타도 연습했습니다. 졸업식 후에는 악기도 샀습니다. 대학에 와서는 정말 캠퍼스 라이프의 로망을 전부 실현하고 말겠다는 다짐으로 이것저것 해보기 시작했습니다. 화학과 학생회에도 들어가고, 대학교의 꽃이라는 중앙 동아리도 들었습니다.

지금 저는 중앙 밴드 동아리 '칸타빌레'에서 베이스를 치고 있습니다. 또 가등록 중앙 뮤지컬 동아리인 '루시드'에도 들어, 배우로 합류해 오랫동안 덮어둔 꿈이었던 노래와 춤, 연기를 하고 있습니다. 혼자서 재즈 피아노도 쳐보고, 스페인어와 음향 공부도 해보고 있고 학교에서는 가장 좋아했던 화학 공부를 열심히 하고 있습니다.

앞서 언급한 것들은 1년도 채 안 되는 시간 동안 도전한 일입니다. 제가 봐도 정말 많네요. 힘들지 않냐고 물어본다면 솔직하게 꽤 힘들긴 합니다. 하나하나 시간이 많이 드는 일이다 보니 공부에 집중하기도 쉽지 않고, 어떠한 하나를 제대로 해내고 있는지에 대해서 스스로 의문이 들 때도 있습니다. 공연 동아리를 두 개나 하다 보니 체력적으로도 힘들고, 재능의 한계를 느낄 때면 스트레스도 받습니다. 공연 준비 시기가 겹치면 하루에 두 개의 연습을 모두 참여해야 할 때도 있었고, 연습 시간마저 겹치기도 했습니다. 그럴 땐 연습을 하다가 나와서 다른 연습에 달려가야 했어요. 끼니를 제대로 못 때우고 연습해야 할 때도 많았죠. 혼자 해보고 있는 재즈 피아노나 스페인어, 음향 공부는 다른 일들에 밀려 뒤처져 있곤 합니다. 개인 시간이 거의 없을 정도로 바쁘기도 합니다. 하지만 일단 도전했습니다. 그렇지 않으면 더 속상하고 힘들 것 같았고, 포기하고 싶을 것 같았거든요. 딱히 극복하려 하기보다 '일단 해보자' 하며 버텨보니 버텨졌습니다. 누군가에겐 대책 없어 보일 수도 있겠네요.

너무 많이 도전한 것에 후회하지는 않냐는 질문을 들은 적이 있습니다. 저는 자신 있게 대답할 수 있습니다. 전혀 후회하지 않는다고요. 사실 모든 걸 해내는 것은 정말 바쁘고 힘들지만 지금의 제 삶이 너무나도 즐겁고 내일이 기대됩니다. 밴드와 뮤지컬 동아리에서 올린 무대 위에 서 있는 시간이 정말 황홀하고 짜릿했고, 원하던 전공 공부가 즐거웠고, 학생회 일원으로 행사를 진행하는 것이 뿌듯했고, 혼자서 꾸준히 하는 소소한 공부가 꽤 재미있었습니다. 관심사가 비슷한 사람들과 모여 연습하고 회의하며 함께 보내는 시간이 즐겁고 기쁩니다. 도전한 하나하나의 꿈을 이루어 나가고 해내는 것 또한 행복합니다. 이 즐거움으로 모든 힘듦이 다 사라지더라고요. 도전하지 않았더라면 아마도 크게 후회했을 것 같습니다.

하고 싶은 것이 너무 많았지만 도전을 망설였던 어린아이는, 성인이 되어서는 꿈을 향해 도전을 꺼리지 않는 대학생이 되었습니다. 늦었을까 걱정할 시간에 도전해 보기로 했습니다. 어쩌면 곧 다른 것에도 눈길이 갈지도 모르겠습니다. 전혀 관심조차 없었던 어떤 것이 저를 끌어당길 수도 있습니다. 옛날엔 그런 것이 두려웠습니다. 내 꿈을 이루는 방법이 직업에만 있다고 생각했습니다. 하지만 지금은 두렵지 않아요. 오히려 기대됩니다. 또 어떤 새로운 길이 나를 기다리고 있을지 설렙니다. 이것저것 걱정하고 재볼 시간에 작은 것부터 배워보고 시작해 보면 그 끝에 후회는 없을 것이란 걸 이제는 알았습니다.

　이 글이 하고 싶은 것이 많은 당신의 등을, 꿈을 덮어두고 후회하는 당신의 등을 밀어주는 글이 된다면 좋겠습니다. 저도 도전하기 전에는 걱정도 고민도 많았습니다. 도전한 이후에도, 여러 가지 힘든 점이 많았죠. 하지만 여러분과 똑같은 한 사람이 도전했고 결국 해내고 있어요. 여러분도 분명히 할 수 있을 겁니다. 큰 도전이 부담스럽다면 작은 도전 하나부터 시작해 보면 좋을 것 같습니다. 가벼운 도전부터 하나씩 시도한다면 여러분도 해볼 만하다는걸, 도전이 행복하다는 걸 느끼실 것이라 확신합니다. 그러니 우리, 하고 싶은 것 모두 마음껏 도전해 보자고요. 우리의 사소한 도전 한 걸음, 한걸음에 열정과 즐거움, 그리고 행운이 함께하길 바랍니다!

작성자
#꿈 #후회 #도전

작성자
1. 제 글에 대한 한 줄 평을 적어주세요!
2. 제 글에 대한 소감을 적어주세요!
3. 제 글을 읽고나서 제게 해주고 싶은 말을 자유롭게 적어주세요!
#긍파감챌린지

강민욱
1. 가장 빛나는 지금 가장 행복한 도전을

2. 글쓴이는 어렸을 때부터 가진 여러 꿈 중 하나를 선택하고 나머지는 내려 두었지만 나중이 되어서야 꼭 직업이 아니더라도 도전할 수 있다는 것을 알고 여러 가지를 도전했다. 그 도전이 수능이 끝나고 이루어졌다는 것이 대단했다. 수능이 끝나고 대학에 입학하기 전까지의 시기, 대한민국의 학생이 근심 없이 놀 수 있는 몇 안 되는 시기 중 하나일 것이다. 그 시기에 그냥 막연히 노는 것이 아니라 그동안 미뤄왔던 도전을 한 것이 정말 대단하다. 그 도전을 이어 나가 대학에서는 화학 공부, 학생회, 밴드 동아리, 뮤지컬 동아리를 병행하면서 학교생활을 했다. 이러한 도전에 후회하

지 않냐는 질문에 자신 있게 후회하지 않다는 모습도 멋있다. 이러한 모습들을 보면 도전하는 사람이 얼마나 멋있는지를 새삼 느낄 수 있다.

3. 학교생활을 하면서 그렇게 많은 일들을 하면 정말 힘들 것이라고 생각했다. 글에 나온 대로 글쓴이도 체력적으로도 정신적으로도 힘들었다는 것을 알 수 있다. 그렇게 힘들고 바쁜 삶을 살아감에도 불구하고 이를 후회하지 않으며 그 과정을 즐기고 스스로를 빛내고 있다는 것이 정말 대단하고 멋있고 본 받을만한 사람이라고 생각한다. 스스로 빛나는 별 같은 글쓴이의 삶을 응원하며 나에게 새로운 도전을 할 용기를 준 것에 대해 감사한다.

 임평화

질문 1. 늦었다고 생각했을 때가 가장 빠른 때다.

질문 2. 만감이 교차하는 글이었다. 우선 솔직히 인정하자면 첫 번째 감상은 부러움과 씁쓸함이었다. 세파에 찌든 지금의 내가 현실적인 조건들과 세상 물정 때문에 나의 가능성을 스스로 한정하고 있다고 느끼던 차였기에, 하고 싶은 일에 스스로를 기꺼이 내던진 글쓴이의 빛나는 젊음이 부러웠다. 나 또한 음악을 진로로 삼으려다 그만둔 적이 있는데 공교롭게도 도전의 분야가 음악이었기에 더더욱 그러했다. 물론 지금도 앞이 창창한 나이이지만, 여러 가지 여건 중에서도 건강이 가장 걸림돌이 되어 자아와 진로에 대한 탐구는 상대적으로 뒷전이 되었다.

그러나 두 번째 감상은 순수한 경탄이었다. 정해진 경로에서 조금만 이탈해도 득달같이 쪼아대는 대한민국 사회에서 음악을 취미 삼는 대학생은 흔히 쓸데없는 일에 매달린다며 질타받곤 한다. 하지만 그런 질타에도 아랑곳없이 마음이 시키는 대로 현재를 즐기는 청춘은 언제나 아름답다. 사실 세상에 쓸데없는 일이란 없지 않은가. 스스로 최선을 다했다고 느낄 만큼 무언가에 열중했다면 당장은 써먹을 일이 없더라도 언젠가는 그 쓸모를 체감할 날이 온다. 혹여 영영 쓸모를 찾지 못해도, 도전하는 동안 내가 행복했다면 그 감정 자체가 보상이라 할 수 있다.

두 가지 감상 모두 지금의 나에게 필요한 것이었다. 부정적인 반응이든 긍정적인 반응이든, 타인의 이야기가 내게 어떠한 감정을 불러일으킨다는 것은 결국 나의 이야기에서 그와 연관된 특정 지점이 자극받고 있다는 뜻이기 때문이다. 어쩌면 당장 지친 몸 때문에 십여 년 너머의 빛까지 꺼뜨리려 했던 것은 아닌지 곱씹어 보게 하는 계기를 주어 고마운 마음이 들었다.

질문 3. 열정도 좋지만 건강이 우선입니다! 바빠도 병나지 않게 푹 쉬고 잠 잘 자고 밥 잘 챙겨 먹으면서 해야 해요. 어느 길을 걷든지 행복한 미래가 있기를 진심으로 응원합니다. 혹시 알아요? 걷다 보면 지금까지 걸어온 모든 길이 하나의 대로로 합쳐질지도 모르는 일이죠. 그렇지 않더라도 스스로 고른 길 위에서 행복하다면 그걸로 좋겠지요.

 오영택

1. 자신이 좋아하는 일이 여러 개일 수도 있다. 이 일들을 모두 하기엔 쉽지 않겠지만, 포기하고 후회하는 것보다 조금이라도 조금씩 도전해 가는 것이 의미 있고 남는 것이 많을 것이라는 글이다.

2. 글쓴이가 하는 일들을 보았을 때, 몸이 두 개인가 싶을 정도로 많은 일들을 하고 있지만, 체력적으로도, 심적으로도 단단하다는 것을 느꼈다. 그럼에도 힘들지만 행복을 느끼며 다양한 것들을 도전한다는 것이 대단해 보였다. 늘 귀찮다며, 힘들다며 미루거나 하지 않던 나를 돌아보게 되었고, 미래에 후회하지 않도록 지금을 열심히 살아야겠다고 생각하게 되었다.

3. 아직 갓 입학한 새내기지만, 행복하기 위해, 미래에 후회하지 않도록 최선을 다하는 마음가짐은 새내기가 아닌 어엿한 어른으로 보인다. 나도 힘들고 지칠 때 다 놓고 포기하고 싶을 때가 많았지만, 끝까지 해내고 난 후~~에~~ 돌아봤을 때 뿌듯하고 대견한 스스로를 볼 수 있었으며, 더욱 자존감이 높아진 나를 맞이할 수 있었다. 본인이 지금 힘들고 지쳐도, 나중엔 그게 다 좋은 양분이 되어 돌아오니 행여 지친다면 조금만 더 힘내라는 말을 해 주고 싶다. 그렇다고 건강을 포기하면서까지 무리하진 말고.

 Enter Reply

경희대학교 국제학과 양충효(HIEU)

머뭇거리는 학생들에게, 용기를 가져보자!

원하는 축구 동아리에 가입을 하고 싶었으나 내성적인 성격 때문에 선뜻 가입 문의를 하기가 어려웠다. 그러나 이 어려움을 극복하여 문의하였고 그 덕에 소중한 사람들과 많은 추억을 얻을 수 있었다.

안녕하세요, 경희대학교에서 1년간의 교육과정을 수료하고 졸업장을 받은 베트남계 러시아인 DOUNG TRUNG HIEU입니다.

저는 작은 결정이 어떻게 삶에 큰 영향을 미칠 수 있는지에 대해 짧게 이야기하겠습니다. 제 이야기가 여러분이 열정을 가지고 하는 일에 영감을 줄 수 있기를 바랍니다.

한국으로 막 유학을 왔을 시기였습니다. 안타깝게도 코로나19 팬데믹이 시작되었던 때였죠. 저는 당시 수업에서 만난 친구와 함께, 학교에서 축구를 하고 싶었습니다. 그러나 함께 축구를 할 사람을 찾기 어려웠고, 우리는 고민에 빠졌습니다. 사람을 어떻게 구할지 한참 고민하던 와중, 학과 내 축구부에서 부원을 모집한다는 공고를 발견했습니다. 친구와 저는 경희대학교에 온 지 얼마 되지 않아, 해당 동아리에 대한 정보가 많이 부족한 상황이었기에 동아리 가입 절차 및 활동 내용에 대해 문의를 해야만 하는 상황이었습니다. 그러나 저희 둘은 내성적인 성격 탓에 질문하는 것이 두려웠습니다. 몇 차례의 논의 끝에, 해당 동아리의 인스타그램 DM(Direct Message)으로 질문을 '동시에' 보내기로 하였습니다.

문의한 이후, 저는 사실 동아리의 답신이나 가입 허가에 대해 큰 기대를 하지 않았습니다. 저는 이미 3학년이었고, 축구를 할 만한 체격이 아니라고 생각했기 때문입니다. 다행스럽게도, 그 동아리는 저를 두 팔 벌려 환영해 주었고, 축구에 열정이 있는 많은 사람과 친해질 수 있었습니다. 당연히 축구도 함께 즐길 수 있었고요. 동아리 덕택에, 저는 경희대학교에서 1년 과정을 졸업할 때까지 가장 행복한 시간을 보낼 수 있었습니다.

이처럼 무척 내향적이었던 제가 용기 내어 문의한 덕에 새로운 친구와 많은 추억을 얻을 수 있었습니다. 제가 사람들과 축구하는 꿈같은 일도 일어났고요. 여러분도 이 글을 읽은 후에, 열정을 가진 일에 있어 머뭇거린다면, 결심에 용기를 가질 수 있기를 바랍니다. 원하는 결과를 얻지 못할 수도 있겠으나, 실제로 시도하기 전까지는 무슨 일이 일어날지 모릅니다. 그러니 용기를 가져보아요!

작성자
#축구 #유학 #용기

작성자
1. 제 글에 대한 한 줄 평을 적어주세요!
2. 제 글에 대한 소감을 적어주세요!
3. 제 글을 읽고나서 제게 해주고 싶은 말을 자유롭게 적어주세요!

#긍파감챌린지

강민욱
1. 낯선 나라에서 낸 조그마한 용기

2. 글쓴이가 한국에 막 유학왔을 때는 코로나 팬데믹 상황으로 새로운 사람들과의 교류가 어려운 시기였다. 당시 축구를 하고 싶었고 이를 위해 축구 동아리에 가입하고 싶었지만 외국에서 외국어로 동아리 가입 문의를 한다는 것은 꽤 어려운 일이라고 생각한다. 내가 외국에 나가 외국어로 어떤 문의를 해야 한다는 상황을 생각해보면 충분히 어려운 일이라는 것을 알 수 있다. 하지만 결국 문의를 넣은 끝에 1년간의 유학 동안 더 많은 사람을 사귀고 여러 새로운 경험을 할 수 있었다. 이처럼 조금의 도전을 위한 용기가 1년 동안 혹은 그 이상의 기간 동안의 결과를 바꿀 수 있다는 것을 보여주었다.

3. 전 세계가 코로나로 팬데믹을 겪고 있는 와중에 외국에서 생활하기 쉽지 않았을 것이다. 그러한 와중에서도 포기하지 않고 동아리를 찾아 가입하고 활동하면서 얻은 여러 경험이 있을 것이다. 조금의 용기로 만든 커다란 경험들이 글쓴이에게 좋은 추억으로 남아 훗날 기억해 주기를 바란다.

임평화
질문 1. 일단 발을 떼면 세계도 나와 함께 걸어 줄 거야.

질문 2. 새로운 모임에 가입 문의를 넣을 때는 환대를 받을지, 냉대를 받을지 알 수 없기에 언제나 떨리고 두려워진다. 더구나 팬데믹이 막 시작되었을 시기에, 고향이 아닌 낯선 타지에서, 모국어가 아닌 언어로 팀 스포츠인 축구 동아리를 가입하고자 했다면 더더욱 그랬을 것이다. 1년간의 일정이라 머무는 기간이 길지 않으니 그동안 다른 경험을 더 하는 게 낫다는 식으로 모험을 회피할 수도 있었을 터다.

하지만 글쓴이는 내향적인 성격에도 불구하고 한번 부딪쳐 볼 용기를 냈다. 만약 글쓴이가 망설임 끝에 결국 '전송' 버튼을 포기했다면, 축구 동아리 사람들과 보낸 행복한 1년의 경험은 영영 어느 평행세계 속의 가능성으로만 남았을 것이다. 그러나 그 한 번의 클릭이 지금의 글쓴이를 만들었다. 아무것도 하지 않으면 변화는 일어나지 않지만, 두려움을 이기고 걸음을 떼는 순간 나를 둘러싼 풍경도 나와 함께 걸어주기 마련이다. 변화를 선택한 글쓴이의 용기에 박수를 보낸다.

질문 3. 저 또한 러닝 동아리에 가입하기 전 같은 고민을 했지만, 지금은 임원까지 하고 있는 입장에서 동질감이 느껴지는 글이었습니다. 앞으로 망설여지는 일이 생길 때마다 이 축구 모임을 떠올리며 용기 내실 수 있기를 응원합니다!

오영택

1. 이 글은 사소하지만 본인이 용기내어 도전했던 사례를 토대로 본인이 바라는 것에 용기내어 도전하라는 이야기를 전해준다.

2. 먼저, 글이 길지 않고 누구나 할 법한 내용을 다루어서 크게 감흥이 있는 글이진 않다. 다만, 한국인이 아님을 생각한다면 쉽지 않았을 수도 있을 경험이므로 용기 내었다는 것은 볼 수 있었다.

3. 정말 내향적인 사람이라면, 동아리에 가입하는 것만으로도 힘들었을 텐데, 심지어 축구라는 협동 스포츠와 다른 국적으로 용기 낸 부분이 칭찬할 만하다.

 Enter Reply

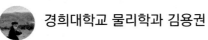 경희대학교 물리학과 김용권

두려움에 처한 사람들에게, 생각하지 말고 움직여라

우리는 미래에 대한 걱정을 할 수밖에 없습니다. 그럴 때 현실적으로 생각하면 걱정을 떨칠 지도 모릅니다. 멋진 도전을 하는 여러분을 응원합니다.

안녕하세요. 저는 경희대 물리학과에 재학 중인 20학번 김용권입니다. 이 글은 도전을 두려워하는 혹은 사소한 걱정으로 스트레스를 받는 사람들에게 긍정적인 영향을 줄 기회인 듯해 작성하게 되었습니다. 저는 어렸을 때부터 사소한 걱정이 많은 사람이었습니다. 초등학교 시절에는 소심한 모습을 보이다 보니 괴롭힘도 당해봤습니다. 설상가상으로 당시 동생이 수술을 많이 받기도 해서, 걱정 외에는 아무것도 못 하는 자신에게 실망하며 우울증에 걸리기도 했습니다. 그래도 친하게 지내던 친구들이 잘 대해주면서 중학교 시절까지 조용하지만 조금 웃긴 사람으로 졸업하게 됩니다. 다행히, 고등학교 시절에는 좋은 친구들을 많이 만나 성격이 유해지고 자신의 의견을 표현할 줄 아는 사람이 되었습니다. 그렇지만 모두가 알다시피, 고등학교의 학업 경쟁은 굉장히 치열합니다. 문제아 몇몇이 제 시험지를 보며 부정행위를 한다거나, 친구가 폭력 사건의 피해자가 되는 등 여러 고난을 겪었습니다. 당시까지도 이런저런 걱정을 하던 저는 정말 많은 스트레스를 받으며 살아왔습니다. 하지만 대학에 입학하고 나서, 재학 중 어떤 한 사건을 계기로 저는 180도 바뀐 사람이 되었습니다. 그 사건을 통해 얻은 마음가짐은 힘들고 지칠 때마다 저에게 '차가운' 위로가 됩니다.

때는 2021년 9월, 코로나-19 당시 아버지가 스트레스를 많이 받으신 채로 술을 많이 드셨습니다. 부친께서는 황달이 올라오고 몸이 부을 만큼 건강이 심각하셨습니다. 병원에 안 가겠다고 끝까지 고집을 부리던 아버지는 제 간절한 설득으로 검사를 받으셨습니다. 그러나 검사 결과, 간경화로 인해 간 이식을 받아야 하셨습니다. 의사 선생님께서는 유전자가 맞아야 안정성이 크니 자식 중 한 명이 간을 기증하는 것이 안전하다고 말씀했습니다. 그 이후로 저와 동생은 CT, 초음파, MRI 등 여러 조직 검사를 받았는데, 그때까지만 해도 간을 기증할 수도 있다는 현실이 와닿지 않아 걱정 없이 살았습니다.

최종 검사 결과 적합한 사람은 바로 저였습니다. 처음 의사 선생님께 이를 들었을 때는 별생각 없이 '내가 해야 하는구나!'라고 생각했습니다. 그러나 혼자 공부할 때마다 자꾸 부정적인 생각이 들었습니다. '내가 죽는다면 지금 하는 이 공부가 의미가 있을까? 아니 내가 혹시 진짜로 죽으려나?' 혼자 생각하기도 하고 내가 없는 가정의 모습과 아버지가 돌아가신 후의 모습을 상상하기도 했습니다. 특히, 동생의 결혼식 때 아버지 대신 제가 그 자리에 있는 모습을 상상한 기억을 떠올리면 아직도 마음이 울적해지곤 합니다. '동생이 대신 할 수는 없을까? 아니, 그건 좀 아닌 거 같아' 두려움에 심란하기도 했습니다. 부정적인 생각을 피하려 해도 자꾸 빠져들어 스트레스를 굉장히 많이 받았습니다.

부정적인 생각이 들 때마다 억지로 웃기 위해 재밌는 영상들을 찾아보고, 산책, 노래방 등 뭐든 좋으니 뇌가 행복한 상태를 유지할 수 있도록 노력했습니다. 그때까지만 해도 심각한 물리학도였던 저는 이론서를 읽기보다는 편미분 방정식, 역학, 반도체 관련 문제들을 풀었을 때의 성취감에 취하며 그 상황을 회피했습니다. 또 매일 친구들과 밤에 소소하게 얘기하면서 피식 웃거나 10~20분 재밌는 유튜브를 보며 부정적인 생각을 할 틈을 최대한 적게 만들었습니다.

여러 노력을 통해 찾은, '부정적인 생각이 들 때 이를 가장 효율적으로 떨칠 수 있는 방법'은 현실적으로 생각하기였습니다. 걱정한다고 그 상황이 바뀔까요? 걱정하면 그 상황이 해결될까요? 걱정이 그 문제를 해결해 준다면 우리는 걱정하고 모두 성공할 것입니다. 그러나 모두 잘 알 듯 현실은 그렇지 않습니다. 너무 이상적인 발언인가요? 저는 공부할 때, 눈을 감았을 때, 밥을 먹을 때 자꾸 부정적인 생각이 들었지만, 그때마다 현실적으로 생각하기를 반복했습니다.

"걱정이 이 문제를 해결해 주지 않아. 내 할 일에 집중하자."
내적인 고통이 너무 컸던 저는, 걱정이 문제를 해결하는 데 소용이 없는 것을 알았는지 더 이상 부정적인 말을 되뇌지 않게 되었습니다.

다시 그때를 회상하자면, 지금 생각해도 '이게 맞나?'라고 생각할 정도로 강해진 저를 발견했습니다. 특히 수술 전 휠체어에 앉을 때 '아, 너무 졸린데', 수술대에 누워 마취제가 들어가고 있을 때도 '수술실 기계들 멋있다.' 등 이런 천진난만한 생각을 하며 수술을 받았습니다. 너무 충격을 받아 바보가 된 것이 아니냐는 생각을 하실 수도 있지만, 걱정을 덜어내고 공부한 덕분에 7학기 중 제일 높은 학점(4.25/4.3)을 받았습니다. 이 고난을 계기로 저는 부정적인 생각을 버리는 방법을 깨닫고, 어떤 일에서 걱정이 된다면 현실적으로 생각합니다. 이때 할 일에 집중하고 있는 나를 발견할 수 있고 성공에 다가갈 수 있다고 생각합니다.

이렇게 말했지만, 저도 사람인지라 시험 기간이 되거나 진로를 고민할 때는 걱정이 잔뜩 됩니다. 그럴 때마다 이 방법을 통해 많던 걱정을 조금 덜어내고는 합니다. 물론 사람마다 이를 해결하는 방법은 다르겠지만, 제 경험상으로는 돌아보니 별것 아닌 걱정이었고 많은 걱정이 능률을 낮춰 손해를 본 시간이 아까웠습니다.

양자역학에서는 입자의 운동방정식(슈뢰딩거 방정식)이 있음에도 불구하고 입자의 위치를 예측할 수 없습니다. 인생에 관련된 운동방정식은 존재하지도 않기 때문에 우리는 미래를 아는 것이 불가능합니다. 그러니 우리가 미래를 걱정하고 도전을 두려워하는 것은 당연합니다. 걱정이 잘못된 것은 아니지만 그로 인해 움츠러드는 사람들이 제 글을 읽고 자신에게 명확하고 현실적인 판단을 내리며 1초라도 도전에 더 시간을 쓸 수 있길 바랍니다.

작성자

#20대 #미래 #걱정말아요그대

작성자

1. 제 글에 대한 한 줄 평을 적어주세요!

2. 제 글에 대한 소감을 적어주세요!

3. 제 글을 읽고나서 제게 해주고 싶은 말을 자유롭게 적어주세요!

#긍파감챌린지

강민욱

1. 부정적인 생각을 떨쳐내고 긍정적으로 생각하는 방법

2. 사람이라면 살면서 한 번쯤은 겪어볼 만한 부정적인 생각이 드는 우울한 시간이 있을 것이다. 이 글쓴이도 간이식을 겪으며 큰 고민을 하면서 여러 생각을 많이 했다. 글쓴이는 물리 문제를 풀고 친구들과 소소한 이야기, 짧은 영상 보기 등으로 극복하려 했지만 가장 효율적인 방법은 현실적으로 생각하기라고 말했다. 나도 그렇게 생각한다. 사실 누구나 알고 있지만 하기 힘든 방법이다. 걱정이 문제를 해결해주지 않는다는 것을 알지만 그 사실을 받아들이고 걱정을 덜어낸다는 것은 쉽지 않다. 돌아봤을 때 별거 아닌 걱정으로 너무 힘들어하지 않았으면 하는 점이 느껴지는 글이었다.

3. 나도 꽤 많은 걱정을 하고 살았었고 고등학생 때에는 걱정에 대한 글을 쓴 적도 있었다. 대부분의 사람들이 이런 시기를 한 번씩 겪는다고 생각한다. 사람마다 그 크기는 다르고 극복하는 방법도 다를 것이다. 물론 그 방법 중 하나가 물리 문제를 푸는 것인 사람은 꽤 드물겠지만 각자 나름대로의 방법으로 우울한 시기를 극복하고 성장해 나간다. 글쓴이도 그중 한 명이고 나 또한 그중에 한 명일 것이다. 그런 사람들에게 전하는 글을 써준 글쓴이에게 감사를 전한다.

임평화

질문 1. 걱정을 해서 걱정이 없어지면 걱정이 없겠다.

질문 2. 걱정을 해결하는 무적의 알고리즘을 본 적이 있다.

당신 인생에 문제가 있나요? (Y/N)

Y: 그 문제를 해결하기 위해 무언가 할 수 있나요? (y/n)
  y: 그럼 왜 걱정하세요?
  n: 그럼 왜 걱정하세요?

N: 그럼 왜 걱정하세요?

어떤 선택지를 고르든 답은 '그럼 왜 걱정하세요?'로 귀결된다. 우스갯소리처럼 들릴지 모르나 제법 심중한 진리가 담긴 알고리즘이다. 우리네 인생에서 일어나는 많은 일들에 실제로 적용할 수 있기 때문이다. 걱정이 무언가 유의미한 실천으로 이어지면 참 좋겠지만 대개 지나친 불안은 아무런 이득도 주지 못한다. 무얼 해야 할지 알아도 불안이 크면 망설이게 되고, 무얼 해야 할지 모른다면 고민해 봤자 소용이 없다. 그러니 하등 걱정할 필요 없지 않은가? 그런데 말은 쉽지만, 대체 어떻게 걱정을 멈춰야 하지?

이 글의 글쓴이는 동동 구르던 발을 멈추는 방법을 스스로 체득했다. 인간에게는 불쾌한 일을 겪거나 부정적인 미래가 예상되는 상태에 놓이면 자꾸 께름칙한 감정의 근원을 되씹는 성질이 있다. 하지만 반추하면 할수록 기분만 더 나빠지고 해결되는 것은 결국 아무것도 없기 마련이다. 그런 의미에서 그날그날 자기 몫의 좋은 일을 제대로 챙겨 먹고, 걱정해도 바뀌는 건 없다는 논증을 통해 스스로를 달래준 글쓴이의 의식적인 노력은 무척 효율적이고 합리적인 접근 방법에 의거하고 있다. 상황에 압도되지 않고 타개책을 찾아낸 글쓴이에게 진심 어린 존경을 표한다. 더불어 걱정 해결의 원리를 이해만 하고서 정작 실전 예제를 푸는 일은 게을리했던 나의 과거를 반성해야겠다.

질문 3. 비-이과다운 정신으로, 제 인생의 운동방정식은 제가 한 번 써보겠습니다 (^^). 용권님의 서늘한 위로가 제게는 딱 기분 좋은 온도로 와닿았네요. 모쪼록 용권님과 용권님의 가족분들 모두 앞으로 줄곧 무탈하고 행복하시기를 빕니다.

오영택

1. 살면서 겪을 좋지 않은 상황들에 대해, 사람마다 방법은 다르지만 글쓴이의 경험을 바탕으로 걱정하지 않아도 된다고 말한다. 글쓴이의 해결 방안처럼, 독자들에게 현실적인 조언을 해 주고 있다.

2. 먼저 이러한 상황을 겪었을 글쓴이가 얼마나 힘들었을지, 얼마나 걱정이 많았을지 에 대해 많은 생각이 들었다. 그럼에도 본인의 상황을 이겨내고, 나아가 발전의 기회로 삼았다는 것도 대단하다고 느꼈다. 결국 무엇이든 '하면 된다'라는 마음가짐으로 포기하지 않는 자세, 긍정적으로 생각하며 부정적인 상황에도 해결할 수 있도록 하는 의지에 대해 생각해보게 되었다.

3. 어린 나이에 좋지 않은 사건을 겪고 냉정하게, 현실적으로 문제를 잘 이겨냈다는 사실이 대단하게 느껴졌다. 이러한 경험은 후에 더 넓은 사회로 나갔을 때 많은 도움을 줄 테지만, 다만 글쓴이가 지나치게 현실적이고 차가운 사람이 되지 않았으면 하는 바람이다.

Enter Reply

경희대학교 지리학과 전민기

새로움에 낯설어 주저하는 그대에게, 도전을 시작할 수 있기를

분야나 정도가 다를 수는 있어도, 시작은 누구에게나 어렵고 낯설 것입니다. 그 과정이 막막하고 힘들겠지만, 어떤 계기로든 독자 여러분이 자신만의 길을 찾고 나아가리라 믿습니다. 저는 이제 막 도전을 시작하는 모든 분을 응원합니다. 도전하는 그대는 늘 가치 있고, 아름답습니다.

1. The Story Begins(서론, ~2022.2)

예, 안녕하세요. 경희대학교 지리학과에 재학 중인 전민기입니다. 이 경수필은 새로움 이후 도전을 시작하려는 여러분을 위해 작성하였습니다. 특히 대학의 신입생 혹은 이제 막 도전의 길에 들어선 여러분이 겪을 수 있는 막연한 두려움이 소재입니다. 고등학교 시기부터 현재의 제가 되기까지 시간순으로 글을 전개하며 독자분께 잔잔한 울림이 될 수 있기를 소망합니다.

당시 제게 고등학교란 순수하게 '입시 도구'였습니다. 물론 그 속에서 만난 귀중한 인연도 있고, 이런저런 일들도 일어났으나 학교 자체에 큰 의미를 부여하지 않았습니다. 비수도권의 평범한 인문계 고등학교였고, 가장 효율적으로 '좋은 대학에 가기'를 원한 지극히 통상적인 학생이었습니다. 눈앞의 개인적인 행복이나 쾌락을 좇기보다는 매일 주어지는 과제와 시험을 우선시했습니다. 다시 말해 학업에 침잠되었습니다. 제 성격상 규칙적인 학습이 잘 맞기도 하여 큰 어려움은 없었습니다. 다른 걱정거리가 생긴다면, 우선 대학을 간 뒤 해결하자는 셈이었습니다. 결국 1학년 때 비교적 낮았던 내신(2.25)을 끊임없는 노력으로 2~3학년 당시 높이며(1.37) 교과 전형으로 경희대학교/중앙대학교 등에 합격하였고, 경희대학교 지리학과에 입학하였습니다. 어쩌면 이때가 가장 편안했을지도 모르겠습니다. 주위의 축복과 합격의 기쁨에 에워싸인 순간이었고, 누구도 관섭하지 않았으며, 어떤 고뇌도 없었습니다.

한창 겨울을 보낼 때였습니다. 합격 직후에는 경희대에 소속감을 느끼며 기뻐했으나, 못내 수능 최저학력기준 0.5 등급 차로 탈락한 고려대학교에 대한 미련이 남았습니다. 당시 이룬 성과도 충분했지만, 더 열심히 도전하지 않은 듯해 아쉬웠습니다. 그 감정을 잊으려 친한 교우들과 놀기도 하고, 여행도 다니며 시간을 보냈지만 아쉬움을 다 떨칠 수는 없었습니다. 그럼에도 평안한 현실을 깨고 도전할 용기는 없었기에, 자연히 수시 대면식 등 학과 행사에 참여하게 되었습니다. 그러다 목련이 꽃망울을 터트리는 시기가 가까워져 오자, 무엇인가 '나만 불만족스러운' 상황이 벌어지기 시작했습니다.

2. Page Two(본론①, 2022.3~6)

수험 생활을 마친 후 입학한 대학은 생소하고도 신기했습니다. 박사 학위를 소지한 교수님들의 강의와 특정 전공으로 좁고 깊어진 학문, 다양한 동아리 또는 학회까지. 고교와는 너무나 다른 환경이었습니다. 줄곧 살아온 공간이 아닌 서울특별시에 교정이 위치하기도 하였으니 더 새롭게 다가왔을 것입니다. 처음에는 반수 생각도 잊고 즐겁게 다니는 듯하였으나 이내 공포가 엄습해 왔습니다.

아니 공포라니, 문맥상 맞지 않는 말일 것입니다. 그러나 제게 선연히 다가오는 대학의 면모는 공포였습니다. 이제껏 제한되어 있던 자유가 확장된 것이 원인이었습니다. 고교와는 달리 선택지가 무수히 많았습니다. 제가 수심이 잦은 성격이어서 그런지 당시에는 무엇을 해야 할지 잘 판단되지 않았습니다. 혼란스러운 와중, 노력과 결과가 그나마 비례한다고 여긴 학업에 열정을 쏟게 되었습니다. 중간고사를 마치고, 대체로 좋은 결과를 받아들였지만, 주위를 둘러본 뒤 한 가지 의심에 몰닉하였습니다.

"나만 불행한 것 아닌가?"

주위 지인들은 최소한 외견상으로는 행복해 보였습니다. 소셜 미디어에는 사람들과 어울려 노는 것이 수없이 업로드 되었고, 시험과 과제도 망각한 채 여유롭게 있는 듯하였습니다. 아니, 본인은 지금 공부 외에 무엇을 어떻게 할지 갈팡질팡하고, 너무 자유로워져 두렵기까지 한데, 딱 저만 빼고 다 즐거워 보였습니다. 경희대학교의 필수 교양과목인 〈성찰과 표현〉에서의 글쓰기 과제 중 '나의 삶을 힘들게 하는 것은?'이라는 주제에 관한 글에서도 이를 엿볼 수 있었습니다. 당시 제 글이 "자유로부터의 고통"이었을 정도였으니 말입니다. 심란했던 저는 서울 이곳저곳을 돌아다니며 사색하고 방황했습니다. 또, 이렇게 생활하는 것이 옳은 지 수없이 자신을 의심하고 괴로워했습니다.

왜 이렇게 괴로웠을까요? 해당 과제를 제출하며 자의적으로 내린 판단은 이러했습니다. 새로 바뀐 환경에 대한 더딘 적응과 자유에 덜 노출된 탓이었다는 것입니다. 아마 대부분은 저와 비슷한 경험이 한 번쯤은 있을 것입니다. 잘 조율되어 나오는 시간표, 강사들의 정해진 수능 커리큘럼, 무엇을 해야 할지 명확한 고교에서 갑자기 자유가 부여되니 혼란스러웠을 겁니다. 저는 무엇을 명확히 하지 않은 채로 남은 학기를 보냈고, 기말고사가 끝난 뒤 처음으로 종강을 맞이했습니다.

3. Trinity(본론②, 2022.7~8)

대학에서 처음으로 경험한 자유는 다시 일률적인 수험생활로 돌아가라 제게 주창하는 듯했습니다. 마침, 고교에서의 수시전형 추천서와 관련하여 결정해야 할 기한이 다가오고 있었습니다. 휴학 및 반수라는 것 또한 새로운 도전을 의미했기에, 2학기를 열심히 다니는 것과 열심히 수험하는 것은 마치 예송 논쟁처럼 머릿속을 뒤흔들어 놓았습니다.

사실, 이런 답이 정해지지 않은 문제가 늘 그렇듯, 어느 일방이 확연히 우세하지는 않았습니다. 작년에 아쉽게 불합격한 고려대학교로 표상되는 고학벌에 대한 열망과, 그럼에도 본인과 아주 잘 맞는 전공과 현 위치의 안정감 중 어떤 것을 택할지 선택하기 어려웠고, 시간이 흘러갔습니다. 저 또한 이를 시간 낭비라 여겨 어떻게든 한쪽으로 귀결하려 했습니다. 저는 보통 이런 선택을 할 때 현실을 안정적으로 유지하는 쪽을 택하기에, 수능과 무관한 수시 원서만 접수하고 2학기를 최대한 열심히 지내는 쪽으로 가닥 잡았습니다.

이렇게 방황하던 제게 도전의 계기란 우연히 찾아왔습니다. 2023학년도 법학적성시험 하루 전에 학내 로스쿨 게시판에 응원 글을 작성한 것이 그 계기였습니다. 당시 한 분은 본인이 법학적성시험 표준점수 140점(응시자 기준 상위 5% 이내)을 넘긴다면 로스쿨 입시를 도와주겠다는 의사를 표시하셨고, 그 분께서는 정말 해당 점수를 넘기시며 연락해 왔습니다. (현재는 법전원에 재학 중이십니다.)

저는 해당 연락을 계기로 모의로 법학적성시험을 풀어보는, 소위 집릿을 보게 되었고, 3개년 평균 120대 중반의 점수가 나왔습니다. 이실직고하자면, 저는 대학 입학 이후로 법전원을 생각해 본 적이 없었고, 오로지 대학원만을 갈구하고 있었는데 새로운 길을 하나 제시 받은 느낌이었습니다. 그러다 보니 2학기를 더 성실히 다녀봐야겠다는 생각도 들었고, 나만 마냥 시간을 헛되이 보내며 불행한 것 같지도 않았습니다. 여름방학 중 새로이 동아리에도 입회하고 좋은 분들을 만나며 다시 개강을 준비하게 되었습니다.

4. For the A (본론③, 2022.9~현재)

가을이 되었고 2학기를 개강하였습니다. 1학기와는 달리, 학기가 어떻게 진행되는지도 파악하였고, 어느 정도 저만의 안정을 찾는 방법도 발견하게 되었습니다. 예를 들면, 이과대학의 테라스에 머무르거나, 은은한 월야에 캠퍼스를 걷는 등의 일 말이죠. 학기 초에는 동아리에서 진행한 갤럭시 캠퍼스 큐레이터 활동을 간접적으로 지원해 주며 즐거운 나날을 보냈고, 친한 동기들과 식사를 함께 하고 시간을 보내며 안정을 찾아갔습니다. 그런 와중에도, 법전원 입시/대학원 입시에 필요한 높은 평점을 얻기 위해 조용히, 성실히 노력했습니다. 그러다 보니 어느새 눈이 소복이 내린 겨울이 되었습니다. 저의 2학기는 만점인 학기 평균 평점(4.3/4.3)과 진학하지는 않았지만, 마지막으로 합격한 서강대학교 사학과 합격통지서와 함께 성공적으로 마쳐졌습니다. 아, 서강대학교 미진학에 대해 후회는 없냐고요? 제 단골집인 을밀대가 서강대에서 도보 10분인 점 외에는 제 온전한 판단이었기에 어떠한 미련도 없습니다.

어떻게 보면 신기한 일입니다. 첫 학기에 그렇게 방황하고, 본인만 불행한 듯싶고, 혼란스러웠던 필자가 한 학기만에 이렇게까지 무난히 학기를 보냈으니 말이죠. 음……그에 대해 저는 이렇게 비유합니다. 야구에서도 투수에게 경기를 시작하는 1회가 가장 까다롭다는 말이나, 시작이 반이라는 격언이 있듯, 시작이 가장 어렵습니다. 어떻게 할지도 모르겠고, 곳곳에 있는 정보는 우리를 더 혼란스럽게 할 때도 많습니다. 제 경우 자유에서 오는 혼란을 줄이고, 목표를 명확히 하고, 그것을 중심으로 한 학기를 달린 것이 좋은 결과로 이어졌다고 감히 자평합니다.

1학년 2학기를 잘 정리하니, 앞으로 나아갈 도전 방향에도 도움이 되었습니다. 법전원에 필요한 법학 학점 이수, 고학점 유지, 이것저것 자소서에 넣을 활동들의 구상, 탈락하기는 했으나 연합 법학회 지원까지. '법전원 입시'라는 하나의 목표를 설정하니, 필요한 것을 찾는 네트워크가 구축되는 과정이었습니다. 1학기에 스스로를 모질게 대하는 것도 자연스레 사라졌고, 더 편안해졌습니다. 그렇게 2학년 1학기를 맞게 되었습니다.

2학년 1학기는 처음으로 법학 강의(민법총칙)도 수강하고 해당 강의의 스터디도 진행하면서, 본전공인 지리학도 공부하는 시간이었습니다. 1학년보다 더 바빠지고, 전공도 심화하였지만, 법전원이라는 뚜렷한 이정표를 세우고 전진하였습니다. 어떨 때는 공부를 하다 설레기도 하였고, 기쁘기도 하였지만, 또 불안하거나 힘들 때도 있었습니다. 그럼에도, 제 진로에 관해 영문도 잘 모르고 걱정하던 과거와 달리, 목표를 향해 더 강하게 나아가는 저를 발견할 수 있었던 학기였습니다. 결과도 물론 만족스럽게 다가왔습니다. 목표를 잡고 노력하니, 결과는 적절히 수반된다는 것을 더 확실히 알 수 있었던 학기였습니다.

이처럼 탈 없이 지나, 글을 쓰는 현시점에는 4학기째가 되었습니다. 1지망을 법전원으로, 2지망을 대학원으로 잡은 것은 여전히 유효하고, 항상 어려움과 부침이 있어도 이를 생각하면서 목표에 다가서려 하고 있습니다.

물론, 저도 아직 부족한 인간일 따름입니다. 일반적인 대외활동의 부분에서는 다른 분들보다 뒤처져 있을 것이고, 채워 나가야 하고 개선해야 할 부분이 많은 평범한 사람입니다. 다만, 과거의 저같이 낯섦에 힘들어하는 분들께 조금이나마 도움을 드리고자, 제 과거를 피력하게 되었습니다.

5. End Theory (결론)

새로움 혹은 자유에 적응하는 능력은 개인마다 다릅니다. 혹자는 모르는 사람들만 있는 자리에 가서도 잘 적응하다 오고, 다른 누군가는 그렇지 않을 수도 있습니다. 이것이 잘못된 것도 고쳐야 할 의무적인 것도 아닙니다. 그럼에도 누구나 인생에서 한 번쯤은 이러한 어려움을 겪을 수 있지 않을까요? 만약, 이러한 문제로 힘들어한다면, 그건 당신의 온전한 귀책 사유가 아니라고 저는 위로해 주고 싶습니다. 처음부터 잘하는 사람이 오히려 더 드물 거예요.

특히 도전에 있어서 처음이라면 더 힘들지도 모릅니다. 어떠한 전문직 시험을 준비하거나, 자격증 시험, 이제까지 본인이 해보지 않았던 분야의 도전이라면 자기 의심과 걱정에 시달릴 수도 있을 테고요. 그럼에도 제 사례를 읽어 보며 도전을 시작할 계기나 그 원동력을 주위에서 찾거나, 비슷한 사례라 공감이 가는 부분이 생기셨길 소망합니다.

끝으로 드리고 싶은 말들입니다. 제가 늘 좌우명으로 삼는 것이 있는데, "어제의 나보다 개선된 자신"이 되라는 것입니다. 또한, 라틴어 글귀로는 'Per Aspera Ad Astra'(역경을 거쳐 별을 향해)가 있습니다. 가요로는 신해철의 민물장어의 꿈도 들어 보시고요. 이러한 글 뭉치를 마지막으로 작별 인사를 드리겠습니다.

새로움에 있어 어려움을 겪는 당신께 심심한 도움이 되길 바라며 예진하시길 기원합니다. 이 글도 종종 읽어주시길 바라요, 가끔은.

전민기 드림 〈本文 終〉

Postscript

본문 구상, 집필 및 서적 출간을 격려하며 도움을 주신 주위의 많은 분들께 감사합니다.
여러분께 항상 좋은 일만 있기를 기원합니다.

작성자
#도전 #노력 #새내기 #평점 #자유 #대학생활 #안정감 #법학

작성자
1. 제 글에 대한 한 줄 평을 적어주세요!
2. 제 글에 대한 소감을 적어주세요!
3. 제 글을 읽고나서 제게 해주고 싶은 말을 자유롭게 적어주세요!
#긍파감챌린지

강민욱
1. 역경을 거쳐 별을 향하는 이들에게 바치는 글

2. 글쓴이는 고등학생 때와 달리 대학에 진학하면서 갑자기 얻는 자유와 늘어난 선택지로 인해 혼란스러웠던 시기가 있었다. 게시판에 쓴 글에서 우연한 계기로 법전원이라는 길을 제시받았고 스스로 준비를 잘하여 잘 나아갔다는 것을 알 수 있는, 글쓴이가 겪은 삶을 잘 적은 글이다. 또한 변화된 환경에 노출되었을 때 바로 적응하고 잘 해낼 수 없을 수도 있으며 이에 대해서 자책하지 말고 누구나 겪을 수 있는 일로 생각하고 앞으로 나아갈 원동력을 찾기를 바라고 있는 글이다. 나 또한 진로를 결정할 때 꽤 혼란스러운 시기를 겪었었고 다행히 주변의 든든한 사람들로 인해 잘 극복할 수 있었다. 혼자 극복한 것은 아니지만 글을 읽으면서 모두가 겪을 수 있는 어려움이라는 것을 생각해 볼 수 있었다.

3. 대학에 진학하고 난 뒤로 원래의 진로를 바꾸기란 쉽지 않다고 생각한다. 하지만 글쓴이는 대학에 진학해서 생각지도 않던 법전원에 대한 길을 알게 되고 지금까지 몰랐던 길을 진로로 정하는데, 이 일은 정말로 쉽지 않다. 글쓴이는 확장된 자유에서 학업에 열중했고 이를 바탕으로 새로운 길을 나아감에 좋은 바탕이 되었음을 확

신한다. 혼란스러운 상황에서도 스스로의 미래를 위해 준비하는 것을 보고 정말 대단하다고 생각했다. 이미 충분히 길을 나아갈 능력을 갖춘 글쓴이는 반드시 역경을 거쳐 별에 도착할 수 있을 것이라 생각한다.

 임평화

질문 1. 사방이 낯설 땐 제일 먼저 고개 들어 북극성을 찾을 것.

질문 2. 낯선 환경은 설렘과 함께 혼란을 안겨준다. 갓 대학 문턱을 밟았을 무렵의 글쓴이는 입시라는 하나의 관문에만 시선을 고정하고 성실히 달려온 차였기에, 구속의 부재에 낯을 가렸다. 새로움을 반기는 자에게 자유의 급류는 신나는 파도풀이 된다. 하지만 한길로 고정된 미래를 담보하지 않는 물결의 속성이 누군가에게는 부 담으로 다가오기 마련이다. 그런 사람에겐 자유 속에서 붙잡을 구명튜브가 절실해 진다.

다행스럽게도 글쓴이는 자신의 튜브를 잽싸게 잡아챘다. 나아가 가장 가까운 섬을 찾아 제법 튼튼한 배까지 짓고 항해할 준비를 마쳤다. 어엿한 바닷사람이 되어가는 글쓴이는 이제 막 광활한 대양에 작은 배를 띄웠다.

앞길이 언제나 밝으리라는 보장은 없다. 아무리 노력해도 도통 등대가 보이지 않는 날들 또한 있을 수 있다. 그러나 밤바다의 깜깜함 속에서 막막하고 두려울 땐, 언제든 잠시 고개 들어 하늘을 보길 바란다. 튜브를 찾았던 것과 꼭 같은 열정으로 당신의 북극성을 찾아보자. 저 별이 당신의 항로를 최선의 방향으로 이끌어 줄 것이다.

질문 3. 민기님의 출항을 응원합니다. 별을 향해 가는 것도 좋지만, 노를 젓는 동안 당신은 이미 별과 함께 가고 있다는 것도 항상 기억해 주세요. 결실의 끝점은 결국 과정의 수평선상에 놓여 있으니까요.

 오영택

1. 낯선 환경, 새로움 및 자유에 있어 방황하는, 혹은 방황할 수 있는 사람들에게 그리 걱정하지 않아도 된다는, 무엇이든 도전해도 괜찮다고 하며 안정감을 건네주는 글이다.

2. 나도 성인이 된 이후 자유에 대한 불안감을 느낀 적도 있었고, 앞으로의 목표를 어떻게 잡아야 할지에 대해 막막했던 적도 있었다. 이렇듯 사회 초년생이라면 누구나 겪을 수 있는 내용에 대한 글이며, 이 글에서는 글쓴이가 이를 어떻게 해결해 나가고 있는지 설명한다. 글쓴이는 운이 좋게 로스쿨에 대한 기회를 얻었다고 설명하지만, 그러한 기회를 얻을 수 있었던 것은 다양한 시도, 즉 이미 다양한 방면으로의 도전이 있었기 때문이다. 글에서는 큰 틀에서 도전하라는, 걱정하지 말라는 이야기를 담지만, 큰 틀에서의 도전을 위해 과정에서의 다양한 도전이 필요하다는 것이 더 생각이 남는 글이다.

3. 사실 대학교에 처음 입학하여 첫 학기부터 이러한 고민을 하는 것만으로도 굉장히 성숙하다고 느껴진다. 그러한 걱정과 혼란으로 인해 다양한 것을 시도하고, 그에 따른 기회가 따라왔으므로 결론적으로 축하할 일이나, 그 과정에서 겪은 불안과 불행은 글쓴이만 알고 있을 것이다. 어떤 길을 걸었든 힘들었을 것이고, 앞으로 어떤 길로 나아가든 고될 것이다. 그러므로 고생했다고, 힘내라고 말해주고 싶다.

Enter Reply

경희대학교 컴퓨터공학과 김범석

대학생이여, 실패를 두려워하지 말아라!

실패 자체에 감정 소모하는 것보다 실패를 이겨내고자 하는 의지, 그리고 그 과정을 경험하는 것이 더 중요! 의지를 가지고 실패를 이겨내는 경험을 누적했을 때 얻을 수 있는 강건해진 스스로를 이상향으로! 실패를 극복하는 것은 결과적으로 스스로 해야하는 것이지만, 그럼에도 불구하고 주변 사람들의 조언은 큰 힘이 되니 조언을 요청하자!

〈성인, 그리고 대학생〉

법에서 정하는 성인은 만 19세 이상의 국민을 말하며, 성인이라면 사회로 진출해서 경제활동을 통해 '한 사람의 몫'을 해야합니다. 그런데 대학생은 어떤가요? 경제활동을 기반한 사회를 위한 '한 사람의 몫'에 대한 책임과 의무가 있나요? 아닙니다. 그러면 만 19세 이상의 대학생이라는 존재의 의미는 무엇일까요? 답은 사회에서 마련한 '배려'로 설명이 가능합니다.

대학생은 성인임에도 불구하고 '학생'이라는 신분을 유지시켜줍니다. 이 '학생'이라는 신분을 유지시켜준다는 것은 곧 '사회적 배려'로 받아들일 수 있습니다. 대표적으로 위에서 말한 '성인'이라면 응당 짊어져야하는 책임과 의무에 대해 상당 부분을 졸업 이후로 유예시켜줍니다. 더불어 학업을 함에 있어서도 실패에 큰 책임을 부여하지 않고 오히려 기회를 주기도 하죠. 이외에도 사회는 대학생에게 다양한 혜택들을 많이 제공해줍니다. 하다못해 놀이동산 입장권도 대학생 할인이 있구요.

〈사회가 대학생에게 제공하는 배려와 혜택〉

그렇다면 사회는 왜 성인임에도 불구하고 대학생이라는 신분을 이유로, 각종 배려와 혜택을 줄까요? '전문성 확보와 준비'를 통해 더욱 수준 높고 스스로 만족할 수 있는 상태를 만들어 사회로 진출할 수 있는 기회를 주기 위해서입니다. 이건 대학생 개인에게도, 사회에도 윈윈(win-win)하자는 의도가 분명히 보이는 부분입니다. 위에서 말한 사회적인 배려와 혜택에 대해 더 자세히 말해보도록 하죠. 여러분이 사회생활을 하는 직장인이라 생각해 봅시다. 여러분이 직장생활 중 업무로 실수했다면, 어떤 책임을 져야할까요? 우선적으로 생각할 수 있는 것으로는 업무평가에서 좋지 않은 결과를 얻을 수 있게 됩니다. 이런 좋지 못한 업무평가는 연봉협상에서 불리한 상황으로 이어지게 되고, 누적된다면 동일 시기에 동일 직급으로 입사한 다른 동기들에 비해 낮은 연봉을 받으면서 회사를 다녀야 할 것입니다. 그렇다면, 직장생활에서 겪을 수 있는 업무상 실수는 다시 복구시킬 수 있을까요? 할 수는 있겠지만, 제가 알고 있는 한도 내에서는 복구하기 매우 어렵습니다. 다시 말하면, 사회생활을 하는 성인의 실수는 온전히 스스로가 책임져야 한다는 것입니다.

반면, 우리 사회는 학생에게 실패에 대한 강한 책임을 부여하지 않습니다. 대학생의 학업에 대해서 업무평가와 같이 가혹한 부분이 있나요? 아뇨. 대신 학업 성취에 따라 평가되는 학점(편집자 주 : '평점'이 정확한 단어이나, 사회 관념상 학점으로 통칭함)이 있습니다. 학점은 업무 평가와 마찬가지로 종단에는 스스로의 책임으로 귀결되긴 하지만, 지향점이 다릅니다. 학점은 사회에 나가기 위해 준비하는 과정에서 그 준비가 얼마나 되었는지에 대한 수많은 척도 중에 한가지이며, 대학생 입장에서의 학점 취득은 먼 미래의 내 가치 상승을 위한 투자라고 보는 것이 더욱 합리적입니다. 그렇기에 업무상 실수로 인한 낮은 업무평가와는 달리 학점은 학업성취도가 낮아 좋지 못한(혹은 만족하지 못하는) 점수를 받더라도 다시 학점을 취득할 수 있는 '재수강'이라는 제도를 여러분에게 제공하죠. 즉, 실패하더라도 복구할 수 있는 기회가 충분히 주어지죠. 이외에도 대학에서 운영하는 교과 활동 및 비교과 활동에 있어 잘하는 것에 대한 칭찬과 보상은 있지만, 못하는 것에 대한 제재가 적은 것은 물론이고 오히려 복구할 수 있는 기회를 다수 제공해줍니다. 그렇기에 아주 특수한 상황을 제외한 일반적인 대학 생활에서 겪는 실패는 두려워할 대상이 아니라고 할 수 있습니다.

〈우리가 가져야 하는 생각의 기준, 가치, 그리고 실천의 방향〉
그렇다면 우리는 이러한 대학생을 위한 사회적인 배려와 혜택을 어떻게 활용하면 될까요? 먼저 말하고 싶은 것은 실패를 대하는 생각의 기준을 바꾸는 것입니다. 실패로 인해 무너지는 것이 아니라, 딛고 일어나는 부분에 보다 초점을 맞춰 다양한 경험을 많이 쌓도록 노력하는 것이죠. 앞서 말한 것과 같이 대부분의 대학생이 학업을 영위하는 중 겪을 수 있는 실패에는 극복할 수 있는 기회를 부여받습니다. 그러니 좀 더 전향적으로 생각한다면, 실패하는 것 자체에 감정을 소모하기보다는 실패를 딛고 이겨낼 수 있는 방법을 생각하고, 차근차근 하나씩 실천해보는 것이 더욱 합리적입니다. 사실 멍석이 깔려져 있는 것이, 대학생인 기간은 이미 많은 배려와 혜택을 누릴 수 있고, 결과적으로 실패에 대한 책임, 엄밀히 말하면 위험 부담이 사회에서 한 사람의 몫을 하고 있는 성인에 비해 한없이 적습니다. 안 할 이유가 없는 거죠. 그러니 대학생인 기간은 실패를 스스로 이겨내는 경험을 통해 스스로에 대한 믿음을 키워나가고 강건한(멘탈이 강한) 성인이 되어가는 시기라고 볼 수 있습니다.
두 번째는 실패를 극복하는 경험을 쌓음으로써 스스로 얻을 수 있는 가치와 보상을 쟁취하라는 것입니다. 실패를 극복하는 경험을 많이 할수록 스스로에 대한 믿음을 키울 수 있게 되고, 자존감도, 견고함도 가질 수 있게 됩니다. 사회는 여러분이 짐작하는 것보다 훨씬 가혹합니다. 온실 속의 화초처럼 실패를 회피하고, 극복하려 노력하지 않는다면, 사회에서 겪는 실패로 인한 위험을 감당할 수 없을 수도 있으며, 결국 사회에서 도태되겠죠. 하지만 대학 시절 동안 전향적인 자세로 실패를 극복하는 경험을 할 수 있다면, 그 노력의 보상으로 높은 자존감과 견고함을 가지게 될 것이고, 아마도 여러분의 사회생활에 큰 밑거름이 될 것입니다.
세 번째는 '백지장도 맞들면 낫다.'입니다. 개개인이 겪는 실패는 그 양상도 다를 수 있지만, 겪는 사람에 따라 다르게 다가올 수 있습니다. 하지만 여러분들이 대학생활을 하면서 겪는 실패들은 아무래도 비슷한 부분들이 많을 것입니다. 고학번일수록 이미 실패를 겪고 이겨낸 경우가 더 많을 것이고, 저학번일수록 실패를 아직 겪지 않았거나, 현재진행형인 경우가 많겠죠.

여러분 중 본인이 지금 어려움을 겪고 있는 '실패의 경험'을 하고 있고 충분히 고민했음에도 불구하고 해결하기가 쉽지 않다면, 주변에 먼저 극복한 경험이 있는 사람에게 조언을 요청하세요. 또, 만약 여러분 중 본인은 스스로 해결한 경험이 있고, 비슷한 문제에 대해 어려움을 느끼는 친구가 있다면 도움을 주도록 하세요. 중요한 것은 실패를 극복하는데 있어 어느정도의 고민과 노력은 필요하지만, 또 너무 과한 스트레스나 감정 소모는 여러분의 극복 의지를 쪼그라들게 하는 원인이 될 수 있으니 경계해야 한다는 것입니다.

저는 입대 전까지 총 '5학기+1학기' 휴학을 했고, 당시 평점이 1.7이었습니다. 아주 큰 실패라 볼 수 있겠죠! 하지만 군 전역 이후에 앞에서 이야기한 실천 방법들을 꾸준히 진행해 왔고, 학부 졸업 시점에는 4.5 환산 기준 당시 대기업 서류 커트라인인 3.5의 평점을 성취할 수 있었습니다. 더불어 '아.. 왜 세상에 되는게 하나도 없을까..'라는 생각에서 '그래! 해보니 되네! 앞으로도 해서 안 되는게 어디 있겠어? 좀 부족해도, 시간이더라도 메꿔가면 될거야!'라는 생각으로 바뀌게 되었습니다. 이후 대학원 과정에는 석사 4학기를 시작하는 시점에 SCI논문 게재를 하였고, 박사 졸업 한 학기 전에는 지방대 전임교수로 임용되기도 했습니다. 제가 뛰어나서가 절대 아닙니다. 저도 여러분들과 똑같이 경희대에 입학할 정도의 역량을 가지고 온 경희인일 뿐입니다. 그러니 여러분들도 할 수 있는 일입니다. 분명히요! 위에서 말한 것을 기준으로 대학 시절동안 많은 실패에 대한 극복 경험을 가질 수 있다면 결과적으로 사회인이 되었을 때에 아마도 여러분은 강건함이라는 역량을 가진 훌륭한 경희인이 되어있을 것입니다. 그러니 학점 좀 안 나왔다고, 연애에 실패했다고, 친구랑 싸웠다고 너무 낙담하지 말고 극복할 수 있는 방법을 찾고 실천해 보도록 노력해봐요!

 작성자
#도전 #실패 #두려움 #극복 #경험

 작성자
1. 제 글에 대한 한 줄 평을 적어주세요!
2. 제 글에 대한 소감을 적어주세요!
3. 제 글을 읽고나서 제게 해주고 싶은 말을 자유롭게 적어주세요!
#긍파감챌린지

 강민욱
1. 실패에 대한 특권을 갖는 대학생으로서 해야 할 것을 제시하는 글.
2. '스스로 책임을 져야하는 성인이지만 학생인 대학생은 성인의 책임과 의무로부

터 상당 부분을 졸업까지 유예시켜준다.' 라는 구절이 머릿속을 맴돌았다. 나는 성인이기는 하지만 여전히 내가 생각하던 어른의 모습과는 거리가 멀다고 생각했었다. 그 이유는 내가 공부하는 대학생이었기 때문이라고 생각했고 가볍게 넘겼던 문제였다, 하지만 왜 그런가에 대해서는 생각해보지 못했다. 그 이유는 사회의 배려 때문이었다. 어떻게 보자면 당연하게 생각할 수 있지만 나에게 꽤나 크게 다가왔다. 이 글은 사회에 진출한 성인에 비해 실패에 대한 리스크가 훨씬 적은 대학생의 특권을 이용해 도전하고 실패하며 강인한 성인이 되어야 한다는 것을 말해준다.

3. 나는 '교수'라는 사람은 나와 많이 다른 사람이라고 생각했다. 학창 시절부터 공부를 잘해 명문대학을 가고 나아가 국내외의 유명한 대학원을 졸업하고 연구를 계속한 사람들이라고 생각했다. 하지만 이 글은 쓴 교수님은 나와 같은 학교에 심지어 꽤 긴 휴학과 평균 학점이 1.7이라는 낮은 성적을 받았었다. 하지만 그러한 실패에도 군 전역 후 학점을 높이고 대학원 과정 중에는 SCI논문을 게재하며 결국에는 교수 임용까지 이르렀다. 대학생이라는 신분이 가지는 특권과 그를 통해 얻을 수 있는 것을 제대로 설명했다는 점에서 감사하다는 말을 전하고 싶다.

임평화
질문 1. 대학은 원래 마음껏 넘어져 보라고 지어둔 놀이터이다.

질문 2. 모든 탐구의 시작은 문제 제기이다. 지식은 꼬리에 꼬리를 무는 질문과 그에 상응하는 무수한 답변의 정반합을 거쳐서야 겨우 제 윤곽을 드러낸다. 고로 무언가 알고 싶다면 응당 묻고 답하는 과정을 밟아야 한다는 것이 나의 지론이다. 나는 초중등교육을 받을 적부터 내 소신대로 문답에 제법 착실히 참여하는 학생이었다. 그러나 내게도 듣자마자 실망하게 되는 질문이 있다. 바로 '이거 아는 사람?'이라는 식의 질문이다.

이 질문에는 으레 정답자에 대한 짧은 칭찬과 관심, 그리고 관습적인 개념 설명이 뒤따른다. 교육과정에서 질문의 의의란 아직 모르는 부분을 알아가는 것에 있는데, 이미 알고 있는 사람에게 대답을 들어서 대체 무엇하나? 그러니 강의실에서 틀린 대답을 하면 오히려 좋다. 많은 사람 앞에서 창피를 당하면 그 지식은 기억에 확실히 새겨진다. 어차피 교수님도 학생들도 금세 잊어버릴 테니 사실 창피랄 것도 없다. 모르니까 배우려고 온 것 아닌가.

이러한 질문과 대답의 상호작용은 실패를 통해 도리어 발전을 꾀한다는 점에서 대학에서의 도전으로 확장해 볼 수 있다. 우리에게는 더 적극적으로 '틀릴 용기'가 필요하다. 대학은 성인의 걸음마를 익히라고 푹신하게 매트를 깔아준 놀이방 같은 전이 공간이다. 사회에서 했다면 더 크게 다가왔을 실수도 여기서는 한 차례 완충되어 덜 아프게 작용한다.

따라서 대학에서만큼은 겁내지 말고 최선을 다해 이 '넘어질 기회'를 활용해야 한다. 더불어 나만 걷기가 유독 힘든 것 같으면 친구들에게 도움을 청하고, 걸음이 벅차 보이는 친구가 있다면 내가 아는 것을 나누어야 한다. 벚꽃이 만개한 대학의 교정을 우리는 모두 함께 걸어가고 있으니까.

질문 3. 눈과 손과 척추의 건강을 희생하여 학점을 복구하고 있는 입장에서 교수님의 드라마틱한 학점 상승이 진심으로 존경스럽습니다. 역경을 헤쳐 나가는 과정에서 너무 스트레스받지 않도록 노력해 보도록 하겠습니다. 좋은 말씀 감사합니다!

오영택

1. 성인이지만 아직 큰 책임을 지지 않아도 되는 대학생 시기에 실패의 인식을 바꾸고 많은 것들을 시도해보라는, 용기를 주는 글이다.

2. 아직 나도 대학교를 졸업하지 않은 학생 입장으로서, 실패라는 행위 자체를 두려워하고 시도조차 해보지 않은 경험도 있다. 성적에 대한 불안함도 있으며, 앞으로의 방향에 대해 걱정되는 것도 있지만, 이 글은 그러한 상황에 놓인 학생들에게 괜찮다고, 두려워하지 말고 도전하라고 말한다. 또한 글쓴이의 경험을 통해 실패해도 다시 일어설 수 있고, 하면 된다는 용기를 준다. 이는 대학교를 다니고 있는 모든 학생들에게 도움이 되겠지만, 특히 갓 입학한 새내기 및 저학년에게 필요한 글이라는 생각이 들었다. 이 글을 통해 사람들이 그동안 해보지 않은, 다양한 방면의 도전을 시도하며 경험을 얻고 자신만의 특색을 만들어 갔으면 좋겠다는 생각을 하게 되었다.

3. 글쓴이는 큰 실패를 겪었음에도 좌절하지 않고 결국 이를 해결하였고, 더 나아가 본인만의 장점을 나타내는 특색있는 경험으로 바꾸었다. 이러한 글쓴이의 의지와 노력을 높이 산다.

경희대학교 루시드

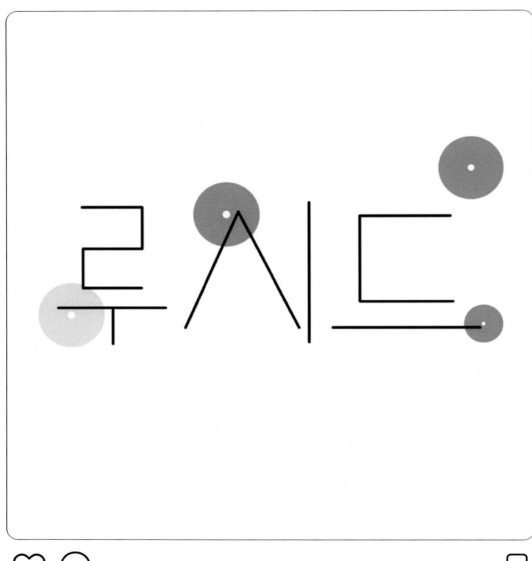

경희대학교 뮤지컬 극단 루시드

여러분은 실패가 두려워, 원하는 목표 달성을 위한 시도조차 않은 적이 있으신가요?

지나고 보면, 시도조차 않았던 목표들이 너무나 많아 가슴 깊은 후회를 하진 않으셨나요?

아직 늦지 않았어요. 지금 머릿속에 맴도는 미련을 잡을 용기를 내어 보세요!

두려움이나 스트레스가 걱정되신다고요? 그렇다면 현재의 일에 최대한 집중해보아요.

도전이 완전히 처음이라도 괜찮아요. 일단 시작해보는 경험도 값진 것이에요.

우리는 아직 젊으니깐 실패를 두려워 말고 일단 앞으로 나아가봐요!

뮤지컬, 공연 기획, 음악 연출, 무대 연출, 동선 연출, 공연 홍보, 연기와 노래 등 다양한 분야에 관심 있는 사람들의 모임, 〈루시드〉에서도 모두 처음이지만 젊은 패기와 열정으로 정기 공연을 2번이나 성공적으로 올렸답니다. 여러분들도 할 수 있어요!

 Enter Reply

경희대학교 물리학과 김은진

꿈꾸는 바보들에게

나는 학창시절을 공허하게 보냈다. 그러다 성인이 되어 뮤지컬 음악감독이라는 꿈을 가지게 되었고 처음 하는 많은 일에서 실패를 겪었다. 그럼에도 포기하지 않고 노력하는 내 이야기로, '꿈꾸는 바보들'에게 위로가 되었으면 한다.

"좋으니까 ~ 그냥 좋으니까"

뮤지컬 〈맨 오브 라만차〉의 등장인물 산초의 대사이다. 산초는 돈키호테를 따르는 길동무
이자 시종이다. 돈키호테는 자신이 멋진 기사라고 착각하고 비정상적인 행동을 일삼는 몽상
가였다. 여관의 하녀 알돈자는 그런 돈키호테를 따르는 산초가 이해되지 않았다. 한 번은 산
초에게 왜 그렇게 돈키호테를 따라다니냐고, 그러면서 얻는 게 무엇이냐고 물어본다. 산초는
대답한다. '좋으니까. 그냥 좋으니까.' 그게 그를 따르는 이유라고.

나는 그저 좋다는 이유로 꿈을 좇고 있는, '꿈꾸는 바보들'에게 이 글을 전하고 싶다. 그들
은 어쩌면 현실에 안주하기보다 이상을 좇는, 줏대 있고 용감한 사람들일지도 모른다. 하지만
나는 좀 더 비참한 의미의 '바보'들에게 초점을 맞추고 싶다. 자신이 좇는 분야에 대해 재능이
그리 뛰어나지 않은 사람들. 그 분야의 하위권이라고 생각하는 사람들 말이다. 나 또한 그런
사람 중 하나이다. 결론부터 말하자면, 바보들에게 꿈을 좇기란 정말 쉽지 않다.

내 꿈은 '뮤지컬 음악감독'이다. 고등학교 2학년 때 뮤지컬 〈지킬 앤 하이드〉를 보고, 뮤지
컬에 푹 빠지게 되었다. 아직도 공연 당일을 생생하게 기억한다. 차가운 바람이 불어오는 겨
울이었고, 대전에 살고 있던 나는 오랜만에 서울로 향했다. 뮤지컬을 처음 본 것은 아니었지
만, 서울의 대극장은 태어나서 처음 가보는 곳이었다. 설레는 마음으로 공연장에 도착하였고,
객석에 들어서는 순간, 나는 새로운 공간의 분위기에 놀랐다. 큰 무대가 주는 웅장함과 그 공
간에서 나는 특유의 향기가 내 심장을 요동치게 했다. 관객들이 객석을 모두 메우고, 무대의
막이 올랐다. 주연 배우가 첫 곡을 부르기 시작했다. 보이고 들리는 것뿐만 아니라 배우의 섬
세한 감정이 피부에 직접 닿는 것처럼 느껴져 매우 짜릿했다. 나를 가장 압도한 것은 앙상블
배우들의 합창이었다. 화음의 아름다움이 주는 감동도 있었지만, 여러 배우의 힘이 합쳐져 객
석에 주는 그 압력이 내 심장을 그대로 누르는 듯했다.

마법 같은 순간은 공연이 끝난 뒤였다. 여운이 채 가시지 않아 벅찬 마음을 안고 공연장을
나오니 하늘이 매우 어두워져 있었다. 하늘의 별과 거리의 건물들이 반짝였다. 걷다 뒤를 돌
아 내가 있던 공연장을 다시 바라보니, 순간 세상의 공기가 달라졌음을 느꼈다. 공허했던 내
마음이 채워지고, 공연장 건물의 조명은 말도 안 되게 반짝였다. 무대를 만든 사람들의 열정
과 관객들이 받은 감동을 모두 담고 있는 듯했다. 아름다운 공연장의 모습을 눈에 충분히 담
고 나는 다시 대전으로 향했다. 이때부터 나는 꿈꾸는 바보가 될 준비를 하고 있었다.

사실, 이전까지 나는 바보와는 거리가 먼 사람이었다. 중학생 시절, 나는 나에 대한 확신만으로 가득 찬 날들을 보냈다. 학교에서 보는 시험은 거의 만점이었고, 부모님과 선생님의 칭찬이 끊이지 않았다. 친구들도 나를 모두 좋아했다. 많은 사람에게 인정받는 그 짜릿함은 지금도 잊을 수 없다. 하지만 점점 그들이 원하는 모습만을 만들기 위해 강박을 가졌고, 나를 잃어갔다.

고등학생 때도 나는 여전히 성공하는 사람이었다. 하지만 성공은 껍데기일 뿐이었다. 실패할 일은 시도조차 하지 않았기 때문이다. 항상 어딘가 숨었고, 성격도 점점 더 소심해졌다. 그렇게 고등학생 시절이 지나갔고, 껍데기만 남은 나는 더 이상 행복하지도 반짝이지도 않았다. 그 공허함은 결국 내 마음의 문을 두드렸다. 진정 내가 좋아하는 것이 무엇인지, 나는 누구인지를 고민하기 시작했다. 나는 삶이 주는 수많은 메시지와 진리를 중요하게 생각했다. 그리고 그걸 많은 사람과 나누고 싶었는데, 그 매개체로 내 마음을 두근거리게 하는 음악이 가장 좋을 것 같다고 생각했다. 메시지와 음악이 합쳐진 뮤지컬은 나에게 정말 완벽한 예술이었다. 긴 고민 끝에 20살이 되어서 '뮤지컬 음악감독'이라는 꿈을 가지게 되었다.

뮤지컬 음악감독이 되려면 지금까지 해보지 못한 도전을 해야 했다. 그리고 그 속에서 인생 처음으로 겪은 많은 실패는 쓰라렸다. 먼저 음악 공부를 위해 피아노를 시작했다. 초등학생 이후로 피아노를 쳐본 적이 없기에 입시 학원에서 손가락 힘 기르기부터 다시 시작했다. 학원에 가면, 나보다 어린 고등학교 입시생들의 뛰어난 연주 소리가 자연스레 들린다. 그럴 때면 위축되기도 했지만, 최대한 듣지 않으려 노력하며 내 연습을 했다. 하지만 열심히 연습해도 실력은 금방 늘지 않았다. 매일 연습한 곡에 대해 반주가 잘못됐다며 처음부터 다시 하라는 선생님의 피드백을 들은 적도 있었고, 몇 달을 지속한 손가락 힘 강화 훈련의 효과는 미미했다. 음악에 있어서 내가 바보라는 것을 깨달은 날들이었다.

두 번째로 한 도전은 뮤지컬 동아리를 만든 것이었다. 대학교 2학년, 마음이 맞는 훌륭한 사람들과, 경희대학교 뮤지컬 동아리 루시드를 만들었다. 그리고 아무것도 없던 동아리에서 기적적으로 두 차례나 성공적인 공연을 올렸다. 하지만 공연의 성공과는 별개로, 루시드는 나에게 큰 실패의 공간이었다. 공연이라는 프로젝트를 준비하면서 나의 약점과 직접적으로 부딪혔기 때문이다.

"누나는 회장 같지 않아. 회장으로서 하는 일이 뭐야?"

첫 공연을 준비하면서 같은 팀이었던 후배에게 들은 말이다. 동아리를 위해 누구보다 열심히 힘을 쓰고 있다고 생각했을 때였다. 음악감독이 되려면 리더로서의 자질도 중요한데, 그것을 위한 노력들이 인정받지 못한 순간이었다. 무례한 말이었지만, 완전히 틀린 말이 아님을 스스로도 알았다. 사실 회장이든, 뮤지컬 동아리든 아무 경험이 없기에 내가 부족한 것은 당연한 일이었다. 리더는 항상 멋진 모습, 잘하는 모습만 보여야 한다고 생각했던 나는 괜찮은 척, 뭐든 잘 아는 척하려고 했었다. 내가 아닌 '척'하는 불안한 나의 모습이 부원들에게 똑같이 전해져 그들을 불안하게 한 것이다. 리더로서도 내가 바보라는 것을 인정해야 했다.

더 많은 좌절과 상처가 있었지만, 쉽게 '포기'라는 단어가 떠오르지는 않았다. 무대와 함께 할 때가 가장 행복했고 그 소중한 감정을 아직 잃고 싶지 않았기 때문이다. 나는 바보이기에 한 번에 빠르게 성공으로 향할 수는 없다는 것을 인정했다. 그래서 그저 포기하지 않고, 매일 내가 할 수 있는 일들로 천천히 한 발 한 발 나아가기로 했다.

밤늦은 시간에도, 30분이라도 피아노 연습을 하러 연습실에 가며 연습량을 늘렸다. 아직 초보자 단계이기에 천천히 성장하더라도 꾸준히 연습하리라 다짐했다. 리더로서 부족한 지혜와 결단력을 기르기 위해 책을 읽기 시작했다. 지금도 꾸준히 책을 읽으면서, 책에 나온 등장인물이나 저자와 대화를 나누며 사고력을 기르기 위해 노력하고 있다. 또 내가 모르는 것이 있다면 아는 척 발버둥 치는 것보다 어느 정도 놓아주고 도움을 요청하는 것이 리더로서 지혜로운 방법임을 깨달았다. 앞으로도 다양한 경험을 통해 리더가 갖추어야 하는 것들을 배우고자 노력할 것이다.

화려한 성공담을 보면 대개 어려움을 극복하고 결국 위대한 결과를 내는 과정이 그려져 있다. 하지만 나는 여기까지다. 노력하고 있지만, 아직 마땅히 이룬 것은 없다. 매일 불안과 어려움이 가득하기도 하다. 그럼에도 나는 스스로 성공한 사람이라고 생각한다. 진심으로 좋아하는 꿈을 가졌고, 이를 위해 한 발 더 나아가는 노력을 할 수 있는 사람이기 때문이다. 이 과정이 어떤 이야기로 마무리 될지는 아직 모른다. 하지만 나는 완성되지 않은 이야기로 꿈꾸는 바보들에게 위로를 건네고 싶다.

여기, 당신들과 함께 달리고 있는 사람이 있다. 매일 불안하고 힘든 일들 투성이다. 하지만 이것은 소중한 꿈을 지키기 위해 마땅히 겪어야 하는 시련일지도 모른다.

좋아하는 것이 있음에도 도전을 망설이고 있는 사람이 있다면 그 소중한 꿈을 쉽게 놓아 주지 않았으면 좋겠다. 결과가 어떻든 그 도전과 노력은 결국 나를 성장시킬 것이며, 그 자체로 당신은 성공하는 것이다.

♫ (뮤지컬) 맨 오브 라만차, I really like him(좋으니까), 이훈진/김선영 ♫

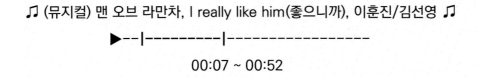

00:07 ~ 00:52

작성자

#뮤지컬 #꿈 #재능 #하위권 #성장 #도전

작성자

1. 제 글에 대한 한 줄 평을 적어주세요!

2. 제 글에 대한 소감을 적어주세요!

3. 제 글을 읽고나서 제게 해주고 싶은 말을 자유롭게 적어주세요!

#긍파감챌린지

강민욱

1. 재능은 없지만 그냥 좋아서 하는 '바보'들에게 전하는 글

2. 재능이 없는데 좋아한다. 나는 이 상황이 좀 잔인하다고 생각한다. 둘 다 가지고 있다면 좋겠지만 그러기 힘들다는 것은 알고 있다. 글을 읽으면서 나의 상황과 비슷한 점이 있었다. 나는 물리학을 전공 중이다. 어렸을 때부터 과학을 좋아했고 재능 있다고 생각했다. 하지만 대학에 와서 나는 그냥 물리를 좋아하는 범재 중에 하나라는 사실을 아는 데 오래 걸리지 않았다. 글쓴이와 나처럼 대부분의 사람은 진로를 선택하는 과정에서 잘하는 것과 좋아하는 것 중 하나를 선택하는 상황을 겪을 것이다. 선택 당시에는 잘하거나 좋아한다고 생각했지만 아닌 경우도 있을 것이다. 이 글은 그런 상황에서 꿈을 좇아 포기하지 말고 도전하며 그 결과가 어떻든 그 자체로 성장이라는 것을 말해주고 있다.

3. 20살에 이르러 자신의 꿈을 바꾸기는 쉽지 않다. 심지어 뮤지컬 음악감독이라는 꿈을 가지는 것은 정말 쉽지 않다. 하지만 글쓴이는 용기를 가지고 부딪혔다. 피아노 공부부터 시작해 뮤지컬 동아리를 만들고 책을 읽으면서 차근차근 꿈을 향해 움직이기 시작했다. 화려한 성공담을 보면 어려움을 극복하고 성공한다. 물론 아직 결과는 없지만 글쓴이 또한 그 길을 따라간다고 볼 수 있다고 생각한다. 마지막으로 전하고 싶은 말은 우리는 꿈을 위해 노력하는 사람을 '바보'라고 부르지 않는다. 우리는 그런 사람을 '노력가'라고 부른다. 글쓴이의 화려한 성공담을 기원한다.

임평화

질문 1. 끝이 정해진 명작보다 궁금한 바보의 네버엔딩 스토리

질문 2. 행복한 결말로 길이 찬양받는 메인 스토리는 천재들의 전유물이지만 사람을 울리는 역할은 전통적으로 바보들의 외전이 담당해 왔다. 사람들은 모차르트에게 박수를 보내지만, 살리에르를 응원하며 눈물짓는다. 예술을 아름답게 만드는 지점은 바로 그곳에 있다. 정답이 아니어도 하나의 답으로서 수용될 수 있다는 것. 화려한 1등의 이야기도 주목받지만 서툴게 애썼던 2등의 일화조차 미담이 된다는 것. 예술은 위계와 정답의 억압에서 현실보다 월등히 자유로운 세계다. 그런 맥락에서 글쓴이는 이미 예술가로서 충만한 자질을 갖추고 있다.

이 세계에서는 미완의 서사 또한 완결된 작품만큼이나 사람의 마음을 사로잡는다. 예술의 가치는 결과물에 의해서만 단독으로 매겨지지 않는다. 끝맺음과 과정이 동일한 무게로 강조되며, 때로는 과정에 더 높은 가중치가 부여되기도 하는 것이 예술의 이치이다. 영화 '헤어질 결심'에는 다음과 같은 대사가 나온다. "난 해준 씨의 미결 사건이 되고 싶어서 이포에 갔나 봐요." 끝나지 않은 이야기는 두고두고 가슴 한구석을 간지럽히기 마련이다. 누군가에게 완결되지 않은 존재로 남고 싶은 간절한 마음이 사랑의 전언으로 쓰인다는 사실은 사람을 끌어당기는 '미완'의 매력을 입증한다.

글의 마지막에 인용된 〈맨 오브 라만차〉의 대목이 글쓴이의 마음을 그대로 대변하는 듯하다. 당최 나한테 득 되는 일이라곤 눈 씻고 찾아봐도 안 해주는데 왜 마냥 좋을까? 뭐가 그렇게 좋은 걸까? 그냥. 그냥 좋다. 왜 좋은지 설명이 안 돼서 더 좋다. 바보여도 미완이어도 좋다는 맹목적인 사랑은 그 자체로 하나의 신념이다. 그리고 신념은 곧 모든 예술가의 미덕이다. 오직 바보만이 눈먼 사랑에 빠질 수 있으므로, 예술가란 마땅히 바보여야 하지 않을까.

질문 3. 실제 역사 속에서 애초에 살리에리는 모차르트에게 딱히 열등감을 품지도 않았었다고 해요! 모차르트가 성격이 나빠서 사이가 좋지 않았던 거라고 합니다. 그래서 더 멋진 것 같아요. 바보는 공감도 더 널리 받고, 인격만 성숙하면 마음의 평화까지 누릴 수 있으니까요. 또 하다 보면 실력이 늘어서 바보가 아니게 될 수도 있구요!

 오영택

1. 자신이 원하는 일을 찾아서 하고 싶지만, 그 일에 대한 재능이 뛰어나지 않다고 느껴 이 일을 계속해도 될지에 대해 의구심을 느끼는 사람들에게 꾸준히 하면 된다는, 힘들지만 꿈에 한 발짝 다가가기 위해 노력하라는 메시지를 준다.

2. 사실 사람들은 자신이 원하는 일을 찾아도, 그것을 하기 위해 노력하기란 쉽지 않다. 이 일이 내가 진짜 원하는 일인지 의심스러울 때도 많고, 이 길로 가는 게 옳은 일인지 생각하게 될 때도 많다. 본인이 진정으로 원하든 원하지 않든, 자신이 하는 일에 대해 꾸준히 노력하고 있는 모습이, 꿈을 위해 다가가는 모습이 아름답다고 느껴졌다. 게다가 그동안 바보와는 거리가 멀었던 자신을 스스로 바보라고 칭하며, 그러한 자신의 부족함에 굴하지 않고 꾸준하게 자신의 할 일을 다하는 것이 멋있다고 생각한다.

3. 아무리 재능이 뛰어나도, 아무리 그 일을 좋아해도 꾸준한 노력이 없으면 성공할 수 없다. 본인이 지금 재능이 뛰어나지 않다고 생각해도, 꾸준히 노력하는 가장 큰 재능을 가지고 있으니 포기하지 않고 끝까지 해내어 꿈을 이루었으면 좋겠다.

 Enter Reply

경희대학교 국제학과 문채건

애쓰다 지친 대학생들에게

사람마다 균형을 잡는 방법은 다르며, 누군가에게는 그 방법이 애쓰지 않는 것이기도 하다. 애쓰지 않는 것은 포기하지 않고 한 걸음 나아가는 일이다. 이는 세상은 넓고 시간은 길다는 것을 받아들이고, 완벽하게 통제하지 못하는 일들을 흘려보내는 삶의 기술이다.

나는 무언가 안 되면 되게 하려고 몇 시간이고 매달리는 사람이었다. 게임 스테이지를 못 깨면 밤새도록 했다. 수학 문제 하나 못 풀면 시험시간을 잊고 그 문제에만 매달리고 있었다. 원하는 그림을 그려보겠다고 할 일을 놓친 적도 한두 번이 아니다. 원하는 맛이 나오지 않는다고 몇 번이고 커피를 내리기도 했다. 내가 만족하는 결과가 나오지 않으면 손을 놓을 수가 없어서 계속해서 반복했다. 그러다 보니 하라는 대로 해도 안 되는 일들, 해도 해도 만족하지 못하는 일들 앞에서 불안하기도 했다. 나만 안 되는 것 같고, 능력이 안 되는 데도 죽치고 있는 것만 같았다. 이렇게 불안정한 내 영혼의 안정을 되찾게 된 것은 존경하는 강사가 해준 말 한마디였다. '애쓰지 않아도 돼.'

처음에는 애쓴다는 것이 무엇인지 몰랐다. 그러나 내 삶 곳곳에서 느끼는 좌절과 절망을 돌아보니 금세 이해됐다. 애쓰는 순간에는 애쓰고 있다는 사실을 모르지만 시간을 거치고 나면 밀려오는 감정들은 이제 그만해야 할 때를 알려주고는 한다.

그렇게 이제는 애쓰지 않고 살아간다. 아니, 애쓰고 있다는 것을 알아차리고 애쓰지 말자고 스스로를 위로하며 살아간다. 온 배움을 녹여내 커피를 내렸는데 맛이 이상하면 다음에 다른 방법으로 시도해 보기로 한다. 그림을 그리는데, 만족스럽지 않으면 '이만하면 됐다'하고 생각하고 진정으로 해야 할 일들을 놓치지 않는다. 풀리지 않는 문제는 가볍게 넘어갔다가 다시 돌아보고, 게임 스테이지가 막히면 게임을 잠시 접어둔다. 애쓰지 않는 것은 포기하는 것이 아니다. 멈추지 않기 위해 조금씩이나마 하는 것이다. 거칠게 말하면 대충이라도 하는 것이다.

그렇게 해야 할 일, 하고 싶은 일들을 해 나가는 것이다. 매사에 최선을 다하면 좋겠지만 최선을 다할수록 힘이 빠지는 일들이 있다. 해야 하지만 내 능력에 못 미치는 일들이 있다. 그럴 땐 애쓰지 말아야 한다. 이처럼 애쓰지 않는 것은 좌절감에 무너지지 않고 삶에서 해야 할 일을 견디는 한편, 하고 싶은 일을 지속하는 태도이다.

우리가 최상의 상태를 발휘할 때는 가장 자연스러운 상태를 유지할 때이다. 긴장하지도 풀어지지도 않은 그 사이의 절묘한 지점에서 우리는 갖고 있는 자원들을 온전히 사용할 수 있다. 그것은 시험에 필요한 지식일 수도, 상대를 위한 마음일 수도, 인생을 위한 통찰력일 수도 있다.

이런 자원들을 활용하기에 나는 과도하게 긴장하고 있었다. 공부에 있어서는 수능을 볼 때 손발이 떨려 그동안의 훈련이 무의미해졌었다. 사람에 있어서는 좋은 말을 하고 싶은 마음에 아무 말도 하지 못했다. 삶에 있어서는 대학에 입학하기도 전에 취업을 걱정하면서 컴퓨터 프로그래밍을 공부했다. 이런 나에게 애쓰지 말자는 마음가짐은 적절한 균형을 찾아가는 과정이었다. 누군가가 보기에 '애쓰지 말자'라는 말은 되는 대로 살아가려는 나태한 태도로 보일 수도 있지만 적어도 나에게는 더 나은 사람이 되기 위한 길이었다. 이제 시험 볼 때는 치열하게 준비하되 과감하게 풀고, 사람을 대할 때는 뭐라도 말해서 길을 터놓고, 삶을 고민할 때는 일단 대학 졸업을 목표로 해야 할 공부를 한다. 이처럼 애쓰지 않는 것은 세상은 넓고, 살아갈 시간은 길다는 것을 받아들이고 유효한 한 걸음씩 천천히 밟아가는 태도이다.

비약일지도 모르지만, 이 말을 스스로에게 자주 하다 보니 세상을 대하는 태도도 많이 너그러워졌다. 예전에는 비 오는 날만 되면 마음이 심란했다. 신발을 타고 들어오는 빗물에 양말이 축축해지고 옷도 젖어서 하루가 번거로워졌다. 하지만 우산이 가끔 쓸모가 없다는 사실을 인정하고 비를 완벽하게 막으려고 애쓰지 않다 보니 이제는 비 오는 날을 다르게 느낀다. 이처럼 애쓰지 않는 것은 완벽하게 통제하지 못하는 일들을 인정하며 현재를 온전하게 누리는 태도이다.

비오는 날 뿐만 아니라 요리할 때, 정리할 때, 글을 쓸 때, 과제를 할 때, 사람을 만날 때도 비슷했다. 모든 사소한 일에 예민하고 정확하게 반응하려고 애쓰던 나였지만 이제는 모든 것을 붙잡으려고 하지 않는다. 미래를 미리 걱정하고 이미 벌어진 일을 후회하는 대신 '지금, 여기'에서 일어나는 일들에 집중한다. 대화를 할 때는 이야기가 어디서 끝나고 관계가 어디서 맺어질지 걱정하지 않으니 마음을 터놓고 현재에 집중해서 이야기하게 된다. 완벽한 결과에 대한 부담을 놓으니 과제도 미리 시작해서 더 나은 결과를 만들어낸다. 잘 못하는 일들에 애쓰지 않으니 좌절감도 덜 느끼는 한편 내 고유한 삶의 영역에 대한 확신도 생겼다. 이제야 인생이라는 막연한 파도를 타는 법을 배운 것 같다. 힘을 빼고 온 감각을 열어서 파도에 몸을 맡겨야 한다, 애쓰지 않고.

작성자
#애쓰지말자 #흘려보내기 #삶의기술

작성자
1. 제 글에 대한 한 줄 평을 적어주세요!
2. 제 글에 대한 소감을 적어주세요!
3. 제 글을 읽고나서 제게 해주고 싶은 말을 자유롭게 적어주세요!

#긍파감챌린지

강민욱

1. 긴장과 편안 그사이 절묘한 지점, 애쓰지 않아도 돼.

2. 완벽에 대한 강박이 있는 것 같다. 사실 나는 애매한 완벽주의자이다. 이를 완벽주의라고 부를 수 있는지는 의문이지만 나의 능력으로 한 일에 대한 부정적인 평가를 받으면 정말 크게 스트레스를 받는다. 그러나 최선을 다하지 않은 것에 대한 평가에는 크게 신경 쓰지 않는다. 이 글은 모든 일에 최선을 다해 노력하지만 좋지 못한 결과에 실망하는 글쓴이의 경험이 있다. 따라서 모든 일에 최선을 다하기보다는 선택과 집중이 필요하다는 것을 말해준다. 완벽할 수 없는 일을 인정하고 현재를 누린다는 말이 정확하다. 삶을 살다 보면 자연스럽게 배울 수 있는 사는 법을 알려준다고 생각한다.

3. 일상에서 모든 일에 예민하게 굴고 모든 것이 완벽해야 한다는 생각은 좋지 않다고 생각한다, 글쓴이도 그런 상황에 놓여있었고 훌륭히 극복해냈다, 나 또한 많은 인생을 살지는 않았지만 그 과정에서 점점 성장하는 것을 느낄 수 있다, 글쓴이를 포함한 많은 청년들이 어려움을 극복하고 성장해 나가기를 바란다,

임평화

질문 1. 옆구리 터진 김밥도 어쨌든 맛있잖아요.

질문 2. 이 글을 읽고 떠오른 기억이 있다. 나 또한 스물세 해 평생을 과거의 글쓴이와 같은 태도로 살아왔다. 당면한 과제에 집요하게 매달려 끝장을 봐야 직성이 풀렸고 맘처럼 잘 안되면 두고두고 입맛이 썼다. 이처럼 열렬한 강박의 지속 불가능성을 내심 알고는 있었지만, 지금의 성취지상주의적 사회에서 살아남기엔 나쁘지 않은 특질이리라고 막연히 정당화했다. 그때까지는 '해야 하는 것'이 아닌 '내가 원하는 것'에만 매달리며 청개구리처럼 굴었기에 그런 마음가짐으로도 그럭저럭 버틸 수 있었다.

그러나 지금의 대학 전공에서 가공할 작업량과 그로 인해 강제되는 팀 프로젝트를 맛본 이후 결국 '애쓰는 태도'의 한계를 인정하게 되었다. 글쓴이가 들었던 조언처럼, 내가 스스로를 돌아보게 된 계기 또한 전공 기초 교수님의 한마디 말씀이었다.

당시 나는 갖가지 사정들로 늦어진 출발선을 의식하며 한정된 일주일의 시간 안에 지나치게 많은 일정을 욱여넣었다. 전공 특성상 본 전공 이외의 활동을 할 시간이 없었기에 수면과 휴식을 극도로 줄여가며 나의 가능성을 파헤치는 데 많은 시간을 할애했다. 그래서인지 늘 다크서클을 턱 끝까지 달고 살았던 내게 측은한 눈길을 보내며, 교수님은 물어보셨다. '많이 바빠요?' '네.' '근데 있잖아요, 나는 바쁘다는 사람을 믿지 않아요.'

머리를 한 대 얻어맞은 듯 멍했다. 말씀인즉슨 여유를 유지하는 것도 능력이라는 것이었다. 애초에 바쁜 일이 없게끔 스케줄을 조정해서 자기를 이완시켜야 한다는 것. 만사에 100%를 끌어내는 것이 옳다고 믿었던 나는 그 일을 계기로 '70%'로의 패러다임 전환을 겪었다. 물론 절대적인 작업량이 많기도 하고 그간 몸에 밴 습관도 있어 잘 쉬기란 내게 여전히 어려운 과제다. 하지만 글쓴이처럼 나도 눈앞에 주어진 '지금, 여기'에 좀 더 집중해 보려 한다. 때로는 멈춰야 시야가 트이고, 더 멀리 봐야 더 오래 걸을 수 있으니까.

질문 3. 내년에 잘해보려고 한참 속도를 내던 차에 이 글을 읽어서 다행입니다. 하마터면 또 너무 열심히 살다가 지칠 뻔했네요. 같은 서퍼끼리 파도타기 힘내봅시다!

오영택

1. 매사에 예민하며 완벽을 추구하는 사람들에게 애쓰지 않아도 된다는, 조금은 놓아 주어도 괜찮다는 글이다.

2. 이 글은 글쓴이처럼 매사에 완벽을 추구하고, 모든 일에 최선을 다하지만 그 과정에서 지치고 힘들어하는 사람들을 위한 글이다. 물론 누구나 완벽하고, 만족스러운 결과를 바라겠지만 그러한 결과가 나오지 않아도 포기하지 말라는, 조금은 내려놓고 흘러가는 대로 놔두자는 메시지를 준다.
소감을 작성하는 나로서는 약간의 긴장을 할 때 최상의 상태가 나오고, 완벽을 추구하며 최선을 다하는 행위를 통해 얻는 부산물들이 크기 때문에 글쓴이의 의견에 공감하지 못하는 부분들이 꽤 있다. 그러나 애를 쓰고 스트레스를 받아 가며 완벽을 추구하는 것보다는 현재에 만족하며 흘러가는 대로 두자는 궁극적인 글의 취지에는 동의한다.

3. 글을 읽었을 때, 내가 지금껏 봐온 사람들 중 손에 꼽을 정도로 완벽을 추구하며, 그에 맞는 노력을 하는 사람으로 보인다. 물론 글에 드러난 글쓴이의 성격으로 보아 흘러가는 대로 두는 와중에도 최선을 다할 것으로 보이나, 현 상황에 안주하여 노력을 게을리하거나, 내려놓지 않도록 조절하는 것이 필요하다.

 Enter Reply

부경대학교 물리학과 김수박

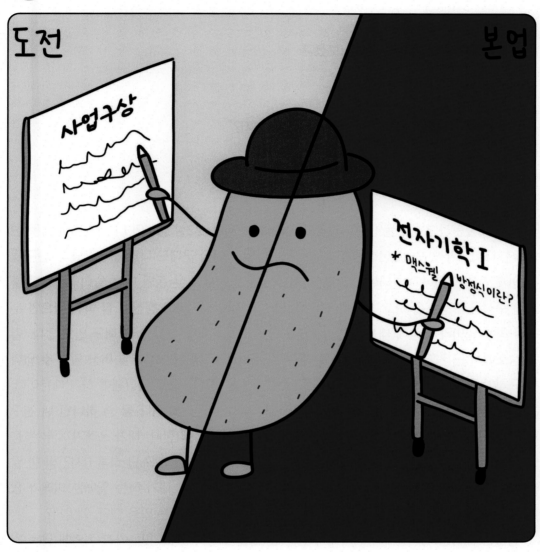

도전 앞에서 나약한 사람들에게, 본업과 도전을 병행하라

꿈을 향해 대학을 휴학하다. 그러나 나태한 탓에 휴학의 목적을 2년째 이루지 못하고 있다.
이 글을 읽는 이들도 무언가에 도전할 때는 본업을 그만두지 않기를 바란다.

"입대는 언제쯤 할 거니?"
저녁을 먹다 말고 어머니가 물어보셨다.

"언젠가는..?"
"군대 늦게 가면 힘들다. 복학은 여전히 생각 없지?"
"네, 아직은요."
"그래 알았다."

　　요즘 잊을만하면 나오는 어머니와의 단골 대화 소재다. 22살 남성인 나는 20살에 입학한 멀쩡한 대학교가 있음에도 1학년 1학기에 머물러 있고 아직 군대도 다녀오지 않았다. 친구들은 이제 전역 직전이거나 대학교 3학년까지 착실하게 공부해 온 동안 나는 놀이공원으로 출근해 구석구석 청소를 하고 최저시급을 벌고 있다. 사지 멀쩡하고 정신만 잘 박혀 있으면 누구나 하는 일이라 나중에 내세울 만한 경력도 안 되고, 썩 대단한 기술을 배울 일도 없다. 같은 장소에서 근무하는 정규직원들과 달리 우리 아르바이트생들은 23개월 이상 일할 수 없다는 규칙이 있다. 대한민국 법상 2년 이상 근로한 직원은 정규직으로 전환해야 하기 때문이다. 그래서 무작정 오래 일할 수도 없다. 그나마 대학생이거나 군인이거나 둘 중 하나인 내 친구들 사이에선 돈을 가장 많이 벌지만, 그것도 지금뿐이라고 생각한다. 내가 쓰레기 치우는 동안 대학에서 공부한 친구들은 나중에 더 나은 직장으로 가지 않을까? 난 하루 8시간씩 한 달을 꼬박 일하고서 200 좀 안되는 돈을 받는다. 한마디로, 지금 내가 하는 일에는 미래가 없다. 지난 2년간 나는 학업도, 군대도 모두 손을 놓은 채 미래가 없는 일을 했다. 왜일까?
　　평범한 대학생이었던 내가 여기까지 온 것엔 많은 이유가 있겠지만, 가장 기억에 남는 건 신입생 때 읽은 하나의 책, 〈나는 4시간만 일한다〉이다. 저자 팀 페리스는 말 그대로 일주일에 4시간만 일하고 한 달에 5,000만 원을 버는 사람이다. 심지어 그 일이란 게 전세계 어디에 있든 노트북 하나만으로 처리할 수 있는 일이라서, 저자는 늘 머물고 싶은 세상의 한구석을 골라 새로운 언어를 배우거나 스키를 즐기면서 일을 한다. 그의 비결은 아웃소싱을 활용한 자동화 사업이다. 쉽게 말하면 사업을 최대한 단순하게 만든 다음, 직원을 많이 뽑아 맡길 수 있는 일은 다 맡긴 것이다. 그는 매주 월요일 아침에 4시간을 할애해 자신의 사업이 문제없이 잘 돌아가고 있는지 점검을 하고 나면, 문자 그대로 원하는 것을 하며 일주일을 보낸다.
　　나는 이 이야기를 처음 듣고 정말 커다란 열망을 느꼈다. 살면서 손에 꼽을 정도로. 마침 대학 생활에는 회의를 느끼던 참이었고, 가보고 싶은 곳, 해보고 싶은 것 등 버킷 리스트라고 할만한 것이 희망 진로보다 더 많았던 나에게 있어서는 저자의 삶, 흔히 '경제적 자유'라고도 표현하는 그런 삶이 더없이 바람직하게 느껴졌다. 그래서 난 그걸 당장의 목표로 삼았다. 남들이 회사에서 자판 두드리는 동안 해외의 아름다운 도시들을 질릴 때까지 한번 돌아보고 싶었다. 비현실적이라는 사람이 많았지만, 나는 진지했다.

　새로 생긴 꿈을 이루기 위해 당장 할 수 있는 건 아무래도 사업이었다. 팀 페리스를 비롯한 많은 창업자들이 '창업은 무조건 스케일이 크고 많은 돈과 시간, 위험부담을 동반하는 일이다'라는 내 은연 중의 편견을 깨부수고, '되면 좋고 안되면 그만' 같은 가벼운 마음으로도 얼마든지 사업에 도전할 수 있다는 사실을 알려주었다. 생각보다 별다른 리스크 없이 해볼만한 사업이 많았다. 물론 사업을 시작하는 것과 사업을 잘 하는 것은 별개이지만, 단순히 될 때까지 해보면 된다고 생각했다. 실제로 연습의 일환으로써 리스크 적은 사업을 여러 번 실패해보고 사업 감각을 기르라는 조언이 많았다. 그래서 사업을 해보기로 결심한 나는 휴학을 했다. 지금의 나라면 학업과 사업을 병행했겠지만, 그때는 휴학이 정답이라고 여겼다. 학교에 남아 있으면 사업과 관련 없는 내용을 공부하느라 많은 시간을 써야 하기 때문이다. 차라리 하루 24시간 주 7일 모두를 사업에 투자해 더 빠르게 창업하고, 더 빠르게 실패하고, 더 빠르게 배우길 바랐다. 심지어는 무엇으로 사업을 할지도 딱히 정해 둔 바가 없었는데, '사업은 누구나 할 수 있다'라는 말 하나만 믿고 휴학을 했다. 지금 생각해보면 참 미련했다.

　결론부터 말하자면, 나는 휴학을 하고 이룬 것이 없다. 정말 하루 24시간 주 7일을 사업에만 쏟아부었다면 무모하긴 했을지언정 뭔가 결과는 냈을지 모른다. 하지만 나는 내 생각 이상으로 게으르고 합리화에 능했다. 휴학 후 약 1년간 나는 매일매일 근처 카페로 향해서 자기계발서를 읽거나 사업 아이디어를 구상하면서 지냈다. 아이디어 몇 개는 바로 실행하겠다고 마음먹었지만, 사업 이름 짓기, 웹사이트 디자인하기 같은 핵심적이지 않은 부분만 며칠 정도 건드리다가 그만두고는 했다. 실질적인 사업으로 발전한 건 하나도 없었다. 아르바이트라도 했으면 어땠을까 싶지만 대학을 휴학한 것과 마찬가지 이유로 내가 가진 모든 시간을 사업에 쏟고 싶어서 무작정 미뤘다. 그땐 내가 뭔가를 하고 있다고 믿었다. 지금 생각해보면 그냥 백수 생활이었지만. 사업을 해보고는 싶은데, 정말로 사업을 하기엔 부담스러우니까 스스로를 속이면서 하는 시늉만 냈던 게 아닌가 싶다. 내 삶을 통틀어 가장 아까운 1년이었지만, 그 나마 얻은 게 있다면 나라는 사람의 바닥을 볼 수 있었던 것이라고 생각한다. 휴학을 하기 전 까지만 해도 내가 원하는 건 뭐든 노력으로 이뤄낼 수 있다는 근거 없는 믿음이 있었는데, 백수 생활을 한 이후로는 내가 어디까지 무능하고 나태해질 수 있는지를 마음속에 새기고 산다.

　다행인 건, 1년 정도를 낭비하고 나서부터는 아르바이트라도 시작한 것이다. 이대로는 아무것도 안 되겠다는 사실을 마침내 나는 인정했던 것 같다. 그때 나는 새벽에 잠들고 점심때에 일어나는 터무니없는 생활방식을 가지고 있었다. 나는 강제적으로나마 내가 규칙적인 생활을 하게 해줄 일자리가 필요했다. 난 자유로운 일과를 감당할 능력도 없었던 것이다. 그래서 내가 가진 모든 시간을 창업에 쓰겠다는 기존의 고집을 깨고, 일자리를 구했다. 사업은 일하고 남는 시간에라도 차근차근 진행할 생각이었다. 결과적으로 나는 놀이공원에서 주 40시간 일하는 아르바이트를 구할 수 있었고, 그 일은 예상했던 대로 나를 아침 일찍 일으켜 집 밖으로 내보내고 사회생활까지 하게 만드는 강제력이 있었다. 또한 시간 관리만 잘하면 매일 2~3시간의 자유시간을 안정적으로 만들 수 있는 마음에 드는 일이었다. 하지만 지금, 입사한 지 딱 1년하고도 하루가 지난 시점에서도 난 사업적으로 이룬 성과가 여전히 없다. 입사하고 나서도 나란 사람은 변하질 않아 정말 딱 필요한 일만 해 왔다. 회사에서 시키는 대로 늦지 않게 출근해 성실히 맡은 일을 다 하고 퇴근한 나는 적극적으로 내가 벌일 수 있는 사업을 탐색하는 대신 침대에 누워 유튜브를 보는 일이 훨씬 많았다. 1년 전과 비하면 사람답게 살고 있는 만큼 이 일을 시작한 걸 후회한 적은 없지만, 꿈을 품기만 하고 다가서지는 않은 채 또 1년이 지나버리고 말았다.

그렇게 나는 오늘까지 왔다. 사업에 대한 꿈이 생겨서 창업을 염두에 두고 휴학을 감행했지만, 2년간 허송세월을 한 셈이 되었다. 그리고 그 과정에서 스스로에 대한 신뢰가 정말 많이 깎였다. 휴학하기 전에는 내가 아무리 게으른 성격이라고 한들 진심으로 열망하는 꿈을 위해서라면 얼마든지 도전하리라고 생각했다. 하지만 난 도전 후 실패도 아닌 도전을 기피하는 2년을 보냈고 끝내 스스로의 자질을 의심하게 되었다. 하지만 그럼에도 난 기존의 진로로 복귀하지 않고 지금의 생활을 계속하고 있다. 그건 기존의 진로로 복귀해도 내 삶이 크게 나아지지 않겠다는 생각이 들었기 때문이다. 내가 지난 2년처럼 도전하지도, 포기하지도 않는 모호한 태도를 끝내 버리지 못한다면 나는 다시 대학에 가서도, 공부를 하면서도, 일을 하면서도, 연애를 하면서도, 그 어떤 의미 있는 도전에 직면해서도 내가 진정 원할 힘들고 의미 있는 길을 선택하는 것이 아니라 현상 유지에만 급급해 쉽고 안전하며 지루한 길을 선택하고 몰개성한 삶을 살다가 생을 마감할 것이다. 난 이것을 고치고 싶다. 그래서 입대도 복학도 미루고 지금 생활을 계속하는 중이다. 지금 이미 2년을 낭비한 김에, 군인 신분의 제약도 없고, 비교적 입사와 퇴사가 자유로운 일을 하고 있으며, 출석해야 할 수업도 부양해야 할 미래의 가족도 없는, 아직은 젊어서 시간적 여유라도 있다고 느껴지는 지금, 2년간 피하기만 한 도전을 시작은 해보려고 한다. 그리고 사업에 대한 그 꿈도 여전하지만, 이젠 목표가 무엇이 됐든 크게 중요하지는 않게 되었다. 운동도 좋고 자기 계발도 좋고 '더 효율적으로 일하는 법'도 좋다. 어떤 목표를 가지든 그저 나 스스로 '이젠 열심히 잘 사는구나!'라고 인정해 줄 수 있게 된다면, 그때 내 2년간의 방황 아닌 방황을 끝낼 생각이다. '목표가 무엇이냐?'와는 관계없이 그저 '매일을 충실하게 살기'가 지금 내가 바라는 것이다.

그리고 마지막으로, 보잘것없는 2년을 보낸 나에게조차 조언을 듣고 싶은 사람들이 있다면 읽어 보길 바란다. 지금 하는 일보다는, 새로운 분야에서 새로운 도전을 하고 싶은가? 그렇다면 당신이 앞으로 취할 수 있는 행동은 크게 다음의 두 가지에 속할 것이다. 지금 하는 일을 즉시 그만두고 새로운 열정을 좇을 것이냐, 아니면 지금 하는 일을 하고 남는 시간에 새로운 것을 조금씩 진행해 볼 것이냐. 난 어지간하면 후자의 방법으로 리스크를 줄이며 도전하길 추천한다. 아마 다음과 같이 생각하는 사람이 있을 것이다. '가뜩이나 힘들고 두려운 도전, 내가 안주할 수 있는 기존의 일을 없애지 않는다면, 새로운 도전이 흐지부지되지는 않을까? 차라리 이 새로운 도전에 모든 것을 걸어서 실패하면 큰일 나는 상황을 만들어버리면, 해낼 수밖에 없게 만든다면, 힘든 도전이어도 독하게 해내지 않을까?' 일리가 있지만, 이 가설에 대한 가장 정확한 답변은 '사람마다 다르다'가 될 것이다. 스트레스를 받으면 견디고 맞서 싸워 원인을 해결해 버리는 사람이 있는가 하면, 스트레스의 요인을 피하는 방법을 더 적극적으로 찾아다니는 사람이 있다. 커다란 스트레스를 감당할 수 있는 사람은 스트레스 환경이 오히려 성과를 높여줄 테니 첫 번째 방법을 쓰면 되고, 스트레스 감당 능력이 부족한 사람은 시간이 더 들지만 '안정적인 도전'을 할 수 있는 두 번째 방법을 쓰면 된다. 간단한 일이다. 하지만 문제는, 이 글을 읽으며 '난 스트레스를 견딜 수 있는 사람이야.'라고 생각한 사람의 99%는 사실 자기 생각보다 나약한 사람일 가능성이 높다는 것이다. 당신은 정말로 강인한 사람인가?

　내가 인간에 대해 믿는 강력한 진실 하나는 인간이 타고나길 게으르다는 것이다. 다들 어렵지 않게 동의하리라고 생각한다. 퇴근 후 녹초가 된 몸을 이끌고 간식과 함께 텔레비전 앞에 앉는 것이 편한가, 운동복을 챙겨 입고 20분 거리의 헬스장으로 걸어가는 것이 편한가? 책상 앞에 앉았을 때 휴대폰을 꺼내 드는 것이 자연스러운가, 어려운 책을 펼치는 것이 자연스러운가? 운동하는 것이 더 편하고 책을 펼치는 것이 더 자연스러운 사람은 마치 잘 훈련된 구조견이 굳이 사람을 구하듯이 많은 시간과 노력을 들여 스스로 훈련한 결과일 뿐이다. 난 이런 사람들을 대단하다고 여기지 자연스럽게 여기진 않는다. 자연스러운 인간은 침대에 누워 유튜브를 보는 사람이다. 당신은 자기 자신을 100% 통제하는가? 여기에 자신 있게 "그렇다."라고 대답할 수 없다면, 당장 열정을 불태우며 뛰어들고 싶더라도, 본업을 하고 남는 시간에 차근차근 진행해 보길 권한다. 당신은 의외로 최선을 다해 도전을 피하고, 할 일은 끝없이 미루며, 변명의 달인인지도 모른다. 만약 나처럼 이런 성정을 가지고도 원하는 바를 이루고 싶어 한다면, 도전에 대한 부담을 줄이는 것이 최선이라고 생각한다. 내 스트레스 감당 능력에 걸맞을 때까지. 무작정 도망가기보단 할 만하다는 생각이 들 때까지. 당연히 나의 모든 것을 쏟아부으며 진행하는 것에 비하면 성과가 부진하고 오래 걸리겠지만, 자기통제 능력이 부족하다면 지나친 자유는 오히려 독이 될 것이다. 차라리 터무니없이 적고 별것 없는 노력이라도 매일매일 쌓아 나간다면, 앞서 잘 훈련된 구조견에 비유했던 사람처럼 언젠가부턴 스스로 훈련한 셈이 되어 매일매일 힘들면서도 필요한 일들을 별 저항 없이 해 나갈 수 있다고 생각한다. 그게 내가 생각하는, 의지박약인 사람들이 성장하는 최선의 방법이다. 그렇기 때문에 새로운 도전을 위해 본업을 그만두는 것은 추천하지 않는다. 당신은 강인한 사람일 수도 있지만, 어쩌면 나약한 사람인지도 모른다.

작성자
#게으름뱅이 #성장하는방법 #꿈 #꿈쟁이

작성자
1. 제 글에 대한 한 줄 평을 적어주세요!
2. 제 글에 대한 소감을 적어주세요!
3. 제 글을 읽고나서 제게 해주고 싶은 말을 자유롭게 적어주세요!

#긍파감챌린지

강민욱
1. 보잘것없는 2년을 보낸 이가 보내는 충고

2. 이 글은 성공이 아닌 실패의 경험을 말하고 있다. 당차게 꿈을 위한 도전을 명목으로 휴학을 하고 제대로 도전하지 못한 처참한 실패에 대해 말한다. 난 오히려 이런 현실적인 부분이 좋다고 생각한다. 물론 아직 진행형인 도전이지만 실패 끝의 성공이 아닌 아직 성공하지 못한 이들의 이야기는 찾아보기 힘들다. 다른 이들은 도전을 하는 것 자체에 대해 말하지만 이 글은 어떻게 도전해야 리스크를 줄일 수 있는가에 대해 말하고 있다. 나도 한창 게으르던 시기가 있었다. 하루 종일 컴퓨터 앞에 앉아 시간을 보내고 새벽에 자고 오후에 일어났다. 그 당시에 이 글을 읽었다면 조금은 달라졌을 것이라고 생각한다. 혹여 본인이 의미 없이 시간을 낭비하고 있다고 생각한다면 이 글을 읽어보기를 바란다.

3. 사실 이 글에서 말하는 글쓴이의 경험을 남에게 썩 들려주고 싶지 않은 이야기이다. 성공한 사업가의 이야기에 이끌려 해버린 휴학과 생각보다 게으른 본인으로 순식간에 보내버린 1년, 알바라도 하면서 보내버린 또 다른 1년. 누구나 꿈을 가지지만 그 꿈에 달려드는 사람은 찾기 힘들다. 꿈에 도전한 이들 중 성공을 하는 이는 또 얼마나 될까? 고난과 역경 끝에 성공한 사람들의 이야기들은 자주 볼 수 있다. 하지만 실패한 사람들의 이야기를 접하기 힘들다. 성공한 이들의 이야기를 들으면 따라갈 수도 있지만 실패한 이들의 경험을 토대로 나아갈 수 있지 않을까? 자신의 실패담을 공유해준 글쓴이에게 감사의 말을 전하며 앞으로 스스로 열심히 사는 것을 인정할 때가 오기를 바란다.

임평화

질문 1. 허들의 존재를 인정하면 높이가 보이고, 높이를 알면 뛰어넘을 수 있다.

질문 2. 글의 초반부에서는 독특한 이력에 호기심이 일었다. 중반부에서는 나와 비슷한 체질을 지닌 글쓴이의 이야기에 격하게 공감하는 동시에 나의 마주하기 싫은 부분 들을 단단히 얻어맞아 얼얼했다. 그러다 조금 더 읽어내리고선 절로 '우와, 멋있다' 하고 육성으로 감탄사를 뱉고 말았다. 마지막 대목에 이르러서는 툭툭 털어 놓는 듯 한 문체에서 일종의 기개마저 전해진다는 인상을 받았다.

만약 글쓴이가 복귀 대신 택한 것이 1년간 손 놓고 아무것도 하지 않는 길이었다면 응원은 했을지라도 우려가 앞섰을 터다. 그러나 정신적 교훈과 같은 무형의 가치를 위해, 풀타임 놀이공원 청소직처럼 취업시장에서 경력을 인정받기 어려운 고된 일을 이어가는 건 여간한 의지로 되는 일이 아니다. 우리가 무슨 쿠키도 아닌데 틀을 벗어나는 걸 마치 사형선고처럼 여기는 이 사회에서는 더더욱 그렇다.

안정적인 길 대신 도전을 택한 것을 두고 누군가는 무모하고 어리석다 할 것이고, 누군가는 과감하고 결단력 있다고 평할 것이다. 나는 후자에 무게를 싣고 싶다. 그런 사람이었기에 미개척지에 뛰어들 수 있었고, 그런 사람이었기에 넘어졌을 때 빠르게 자기 위치를 '메타인지'할 수 있었을 것이다. 문제를 해결하려면 먼저 문제를 정의해야 한다. 자신에게 부족한 것이 무엇인지 알고 개선을 위해 힘쓰는 자의 앞길은, 비록 탄탄대로가 아닐지언정 한계를 넘어 끝없이 펼쳐질 것이라 장담한다.

질문 3. 저는 기질적으로 모험을 좋아하는 동시에 불안을 강하게 느낍니다. 그래서 전형 적인 '게으른 완벽주의'형 인간인데, 제게 가장 쓸모 있었던 조언은 '지금 할 수 있는 것보다 조금만 더' 하라는 거였어요. 이런 사람이 목표를 높게 잡으면 시작도 전에 지치니까 목표와 목적을 구분해서 점진적이고 실천 가능한 작은 계획들을 짜라는 뜻이었죠. 아마 이미 아시는 정보일 것 같지만 직접 듣는 건 느낌이 다르니까 말씀드려 보고 싶었어요! 여러 갈래 길을 두고 고민하던 차에 수박님 글이 도움이 많이 되어서 저도 작게나마 보탬이 되고 싶었거든요. 우리 둘 다 진로 파이팅 합시다. ^^) b

오영택

1. 이 글은 혹여 본인이 하고 싶은 일을 찾았더라도, 본인이 하고 있는 것, 가지고 있는 것을 모두 내려놓고 그 일에 도전하지 말라고 하며, 조금씩 자신이 원하는 일

을 하라고 이야기한다.

2. 글에서 나온 내용이 모호한 면이 있으나, 글쓴이가 말한 것 중에 매일 카페에 나가 책을 읽은 행동이 눈에 띄었다. 무엇을 하던, 매일매일 그 일을 2년간 했으면 본인은 몰라도 꽤나 많은 것을 얻었을 것이다. 글쓴이는 본인의 일을 지속하며 조금씩 도전해 나가는 것이 좋다고 말하지만, 조금이라도 매일매일 하는 것이 더 중요하다고 느끼게 된 글이다.

3. 글을 읽고 나서, 사실 글쓴이가 궁극적으로 하고자 한 사업이 무엇인지, 어떤 과정을 겪어 어느 정도로 일을 진행했는지에 대해 나와 있지 않아 글쓴이에게 뚜렷하게 이야기할 바가 떠오르지 않는다. 다만 글쓴이가 정말로 2년간 놀지만은 않았다면, 꾸준히 무엇이라도 했다면 추후에 그에 대한 합당한 결과를 얻을 것이다.

 Enter Reply

고려대학교 지리교육과 김기현

안정된 삶에만 갇혀 있는 사람들에게, 일단 부딪혀 보고 불안감을 느껴라, 그리고 안정의 세계에서 벗어나 새로움을 깨달으라

새로운 도전을 하는 것은 내가 누리던 편안함을 깨는 행위이다. 그것이 처음에는 불안하게 느껴질 것이다. 그러나 이에 굴하지 않고 도전을 계속하면, 불안함은 자신을 더 잘 알 수 있는 계기로 바뀌게 된다.

나는 그렇게 대단한 사람은 아니다. 대한민국에서 좋은 대학에 다니고 있지만, 특별한 성취를 했거나 남다른 꿈을 지니고 있지는 않은 평범한 21살의 대학생이다. 그렇다. 내가 별다른 사람이 아닌 것처럼, 내가 쓰는 이 글도 '엄청난 도전 경험'을 소개하고자 하는 것은 아니다. 그렇지만, 나의 일화에 대해 솔직 담백하게 회고함으로써, 이 글을 읽는 여러분에게 내가 느낀 '도전의 의미'를 전하고 싶다. 내가 느낀 도전의 의미란, 안정이라는 세계를 불안감을 매개로 벗어나 진정한 나의 실현으로 가는 것이다. 나는 평소 안정적인 생활을 추구해왔기에, 새로운 것에 도전하여 나를 바쁘게 만드는 것을 이해하지 못했다. 그러나 한 번 이를 실제로 경험해보면서 나는 새로운 관점을 체득할 수 있었다. 도전 과정에서 느낀 불안감이 궁극적으로는 '나의 희망과 가치관을 실현해 가도록' 나를 바꾸었다는 것이다. 이 경험과 그 사고 과정을 여러분이 간접적으로 느껴 보았으면 하는 차원에서, 또한 스스로의 상황에 비추어 보고 도전 개시에 대한 용기를 넣어주고자 하는 차원에서 이 글을 쓴다. '저 사람이 도전하며 느낀 불안감은 어떤 결과를 가져다주었을까? 그가 얻은 깨달음을 내게도 적용할 수 있을까?' 등의 질문을 떠올리며 읽어 주길 바란다.

나는 강남에서 태어나 학창 시절을 보냈지만, 어릴 때부터 공부에 전력을 쏟지 않은 그저 그런 학생이었다. 고등학교 진학 이후 성적이 가파르게 상승하긴 했지만 내 모든 것을 바쳐가며 노력한 결과는 아니었다. 이는 내가 공부에 흥미를 느끼게 되어서 그런 것이지, 기존의 나를 넘어서기 위해 악착같이 산 것이 아니었기 때문이었다. 당시 나는 공부로 인한 스트레스를 받고 싶지 않았기에, 평균적으로 하루 6~7시간만 공부를 하였다. 밥 먹는 시간도 줄이며 공부에 전념하느라 내 시간을 보내지 못할 바 에야, 무난하게 공부하고 휴식하고 싶다고 판단했고, 남는 시간에는 친구들과 이야기를 하며 여유를 가졌다. 이렇게 공부와 행복의 균형을 맞추어 가다 보면 '좋은 대학'에 입학하게 되리라 막연히 생각하며 고3 시절을 보냈다. 그러나, 나는 고려대학교 수시 전형 1차에 합격하고도 수능 최저 학력 기준을 맞추지 못하였고, 고려대를 포함하여 모든 수시전형에 불합격하게 되었다. 정시전형으로 경희대에 입학했지만, 생애 처음으로 '이렇게 살다 보면 어떻게든 되겠지' 라는 생각이 부정당하는 큰 충격을 받았다. 게 다가 첫 학기는 비대면 강의 위주라 나를 더욱 무력하게 했기에, '이 안정성과 여유를 깨뜨리 고 반수에 도전해야 하나' 라는 고민을 자주 하게 되었다. 그러나 도전하기가 무서웠던 나는 반수에 대한 마음을 접었다. 접은 직후엔 마음이 편안했지만 시간이 지날수록 안정성만 추구 하는 자신이 한심하게 느껴지기 시작했다. 이후 고려대라는 목표에 도전하지 않았다는 무력

함에 압도되어, 도피 심리로 여름방학 때 하루 종일 입시 커뮤니티에 접속하게 되었다.

입시 커뮤니티에서 다양한 정보를 찾아보고, 사람들과 입시 관련한 이야기를 하며 여름방학 대부분을 보냈다. 이는 '휴학 반수'라는 도전을 해야 할 것 같았지만 하지 않았다는 패배감을 모면하고자 하는 심리의 투영이었다. 그래도 그 덕분에 나는 정시와 대학 입시에 관해 해박하게 알 수 있게 되었다. 다행히, 2학기 학교 생활을 하면서 내 무력감과 패배 심리는 많이 호전되었다. 새로운 사람들을 만나고 새로운 것을 배우는 삶에서 편안함을 느꼈기 때문이었다. 덕분에 내 입시 미련에 대한 압박감도 한층 가벼워져서, 수시 원서를 지원한 뒤 결과는 운에 맡긴다는 생각으로 임하게 되었다. 이후 그렇게 가벼운 마음으로 낸 고려대 수시 원서가 1차 합격하게 되었고 최종 면접까지 볼 수 있게 되었다. 면접 이후 2023학년도 수능이 치러지자, 나는 문득 이런 생각이 들었다.

"나는 입시 때문에 큰 좌절감을 맛보았지. 그러나 나는 그때와 달리 상황이 훨씬 나아졌고, 다시 고대생이 될 수 있는 기회가 주어졌어. 그런데 이렇게 아무런 극적인 '도전'도 안하고 안정적인 상태로 고려대에 합격하는 것은 왠지 모르게 찝찝해. 1년간 주워들은 입시 정보 덕분에 나는 대입에 눈이 트였고, 이 해박함을 학생들을 돕는 방향으로 사용해보고 싶어."

휴학 반수 도전이라는 위험 부담이 따르는 선택을 하지 못했음에도 수시로 고려대에 손쉽게 가기엔 너무 안온하다는 생각이 들었는지, '학생들이 입시에서 합리적 선택을 하도록 내가 도움을 주고 싶다.'라는 강한 열망이 들었다. 즉, 내가 추구해왔던 안정성을 깨뜨린다고 회피했던 휴학 반수를 대신하여, 나를 극한으로 몰아넣는 도전을 해보고 싶었던 것이다. 그렇게 입시에 투영된 도전에 대한 의지로, 나는 '수만휘'라는 입시 커뮤니티에 '문과 정시 라인 잡아드립니다'라는 제목의 글을 썼고, 그때부터 이전과 다른 순간을 마주하게 되었다.

내가 하는 일은 크게 어려운 일은 아니었다. 댓글로 본인/자녀의 수능 성적에 관한 정보가 달리면, 대략 어느 정도의 대학 진학이 가능한지 이야기해 주는 일이었다. 또는 논술/수시면접 응시 여부에 관해 조언해주고, 때론 어떤 원서를 쓸지 선택하는 데에 도움을 주기도 하였다. 이 글은 굉장한 인기를 얻었고, 나의 조언을 원하는 댓글이 하루에 수백 개씩 달렸다. 휴학 반수는 못 해본 대신 이번 일을 기회로 안정성을 깨뜨려보고자 한 마음에서 시작했기에, 또 그를 통해 진정으로 학생들을 돕고 싶었기에, 하나하나의 사연을 가볍게 대하지 않았다. 잘 모르거나 애매한 경우엔 대학 입학처 홈페이지의 모집 요강을 일일이 확인하거나, 환산점수를 일일이 계산해 보기도 했다. 처음에는 한 개도 가벼이 여기지 않으려 임하였으나, 댓글은 기하급수적으로 며칠 간 끊임없이 늘어갔다. 이 도전을 하지 않았으면 여유롭게 쉴 수 있었음에도 불구하고, 하루에 많게는 여섯 시간씩 이 일을 위해 투자해야만 했다. 거의 처음 '안정성'이 송두리째 흔들리는 순간이었기에, 나는 이 시기 동안 불안감을 많이 느꼈다. 크게 두 가지 불안감을 느꼈는데, 하나는 나를 위한 시간 자체가 부정당하고 있다는 불안감이었다. '내가 왜 내가 좋아하는 것을 못 하고 있지? 왜 내가 힘든 일을 하느라 계속 내 자유 시간도 못 누리고 있지?'에서 촉발된 부정적인 감정을 자주 느꼈다. 또 다른 하나는 나 자신의 능력을 믿지 못한다는 불안감이었다. 아무리 정시에 관한 정보를 많이 가지고 있었어도 나는 일개 대학생이었을 뿐이었다. 입시 전문가와 달리 합격예측 프로그램이나 통계적 데이터를 기반으로 입시 조언을 해줄 수는 없었기에 대부분은 나의 직관과 단순 계산에 의존하였다. '내가 도전이랍시고 하는 게 이렇게 조촐해도 되는 건가? 내가 꿈꾸었던 나의 이상향은 내가 실현할 수 없는 경지였던 건가? 이런 부족한 능력으로 함부로 남의 중요한 미래에 조언해도 되는 건가?'와 같은 생각이 자주 들었다. 이렇게 상반되는 듯한 두 감정이 나를 끊임없이 집어삼켰기에 저 시기의 나는 대체로 불안정했다.

큰 불안감을 느꼈으나 이 도전을 끊을 수 없었기에, 일단은 하던 일을 계속 해 나갔다. 그 일을 하는 도중에, 지푸라기라도 붙잡는 마음으로 나를 찾아준 학생들과 학부모님들이 많았고, 그게 아니더라도 입시에 대한 정보력과 경험 부족으로 인해 선택에 난항을 겪는 분들도 나를 많이 찾아주었다. 나는 처음 마음먹었던 것처럼 묵묵히 조언을 이어 나갔다. 그렇게 달린 나의 답글에 그들은 진심 어린 감사를 표했다. '도움이 많이 되었다, 천사 선배님이다, 덕분에 더 나은 결정을 할 수 있었다, 정말 감사하다'와 같은 감사 인사가 꾸준히 달렸다. 심지어, 남을 위해 자신의 능력을 나누고자 하는 나의 행위에 존경심을 표하는 학생들도 있었다. 불안감을 견뎌가는 과정에서 마주한 반응들은, 나의 불안감을 완화하고 도전에 대한 보람을 느낄 수 있게 해주었다.

우선, 나의 시간이 없어져 가는 것에 대한 불안감이 완화될 수 있었다. 내가 꿈꿔왔던 가치관, "도덕적 존재로서 다른 사람들의 어려움에 도움을 주고 싶다"를 실천해 나가는 행위를 했다는 인식을 하게 되었다. 그러자 글에 진심으로 투자한 시간이 '빼앗긴 것'이 아니라 '내가 기꺼이 도움을 준 것'으로 느껴지게 되었다. 또한, 내 능력에 대한 의심에서 기인한 불안감도 깔끔히 해소될 수 있었다. 내가 베푼 호의는 실질적인 도움을 주기에 충분한 수준이었고, 실제로 학생들, 학부모님들은 나의 도움에 크게 만족하였다. 이렇게 생전 해보지 않았던 '안정성 파괴'를 맞닥뜨리게 되자 '불안감'이 느껴졌지만, 이는 내가 이상으로만 그리던 것을 현실로 실현해가는 과정으로 다르게 인식하게 되었다.

내가 했던 도전이 내게 실질적 이득을 가져다준 것은 아니었다. 그렇다고 20년간 살아온 인생의 방향을 완전히 바꾼 경험이 되지도 않았다. 그렇지만, 이 도전은 처음으로 '안정성'을 깨뜨리게 해주었고, 그로 인해 촉발된 '불안감'에서 새로운 시각을 얻게 만들어 주었다. 도전은 나의 여유와 행복을 앗아가는 게 아니라, 나의 또다른 가치관이라는 부분을 실현해 나가는 '나를 위한' 과정이다. 또한, 도전은 내가 그 과정에 완벽하게 임해야 되는 것이 아니라, 자그마한 것이라도 진지하게 여겨보고 열정을 가져보는, 그리고 그 열정을 현실에 나타내는 과정이다. 이 경험은 후일의 또다른 여정에도 자신감을 심어주었다. 고등학교 때는 안정성을 위해 공부에 온전히 몰입하지는 않았다. 그러나, 이 도전 이후 나는 '지식을 습득하여 세상을 바라보는 눈의 질을 높이는 것' 이라는 이상을 실제로 실현해 가려는 또다른 도전을 하고 있다. 공부의 몰입이 내 여가 시간조차도 빼앗는 것이 아니라 내가 바라는 바를 이루어가는 과정으로 인식하게 되었기에 가능했던 것이다. 그리하여, 나는 단순히 강의 내용을 암기하려 하지 않고 여러 번 고찰하며 의미를 도출하려는 도전을 현재에도 하고 있다. 이 학업에 대한 도전 덕분에 지난 학기에는 처음으로 사회를 바라보는 하나의 시각을 얻을 수 있었다.

다소 난해한 사례일 수 있으나, '문화지리학' 강의에서 지식을 통한 비판적 시각 획득을 실현하려 했다. 해당 과목에서 나는 끊임없이 자신을 의심하며 공부하는 '불안감 극복' 과정을 거쳤다. 종국에는 '사회적 사건은 사람들에 의해 구성되는 것이며 때때로 권력이 개입되거나 왜곡되기도 한다' 라는 새로운 시각을 얻을 수 있었다. 이는 내 이상을 현실로 만든, 컨설팅 도전에 이은 유의미한 두 번째 성취였다.

여러분들이 기존의 본인에게 너무 익숙해졌다면, 그러한 안정성에 되려 질렸다면, 사소한 것이라도 당신에게 새로운 것에 도전해 보라. 이를 통해 내가 성장할 수 있겠다는 조금의 기대라도 있다면, 설령 당장은 끌리는 선택지가 아닐지라도, 그 도전을 시작해 보라. 경험 과정에서 느끼는 후회와 불안감은 괜히 시작했나 하는 생각이 들게 만들 것이다. 그러나, 그 막막함을 견디어 간다면, 어느 순간 감정이 또다른 생각을 촉발하는 날이 온다. 그 날이 오면 당신이 꿈꾸어만 보았던 것이 현실이 된다. 당장은 현재의 상황이 그럭저럭 만족스럽기에, 그리고 변화에서 오는 불안감을 굳이 느끼고 싶지 않기에, 도전을 하는 게 옳은 지 의심스러울 것이다. 그러나, 막막함은 당신의 앞길을 가로막는 장애물이 아니라, 마음 어딘가의 목표, 그리고 더 나아가 꿈을 끄집어 내는 도구가 되어준다. 그 도구를 사용해서, 마음 한 켠에 담아만 두었던 것을 현실로 이루어 나가는 경험을 여러분들도 해보았으면 좋겠다.

작성자
#도전 #안정성_깨뜨리기 #의도한_불안감 #입시_컨설팅과_도전 #가치관의_발견
#불안함의_전환

작성자
1. 제 글에 대한 한 줄 평을 적어주세요!
2. 제 글에 대한 소감을 적어주세요!
3. 제 글을 읽고나서 제게 해주고 싶은 말을 자유롭게 적어주세요!

#긍파감챌린지

 **강민욱**

1. 안정을 추구하다 좌절한 학생이 도전으로 한층 성장할 수 있음을 볼 수 있는 글.

2. 사실 나도 학창 시절 글쓴이와 비슷한 생각을 했었다. 똑같이 적당히 공부하고 적당히 놀았다. 그 결과 원하던 대학에 떨어지고 다른 대학을 가게 되었지만 글쓴이처럼 좌절하지 않았고 그 삶에 안주했다. 하지만 좌절한 글쓴이는 그것을 극복하고 새로운 도전을 통해 또 다른 경험을 하고 성장해 나가는 모습이 존경스러웠다. 나도 좌절이 두려워 도전하지 못하고 현재의 삶에 안주하고 있는 것은 아닌지 생각해 볼 수 있었다.

3. 글쓴이에게는 먼저 대단하다는 말을 해주고 싶다. 도전을 통해 안정성을 깨고 불안감으로부터 성장하는 것은 쉽지 않은 일이라고 생각한다. 나도 글쓴이와 비슷한 생각을 가졌고 비슷한 경험을 했었지만 입시 이후 글쓴이와 꽤 다른 경험을 해왔다. 같은 경험을 해도 얻은 것은 달랐고 나가는 방향도 달랐다. 이 글처럼 마음 속 한 켠에 담아두었던 일을 실현한 글쓴이에게 찬사를 보낸다.

 임평화

질문 1. 알을 깨고 나오려는 어린 새의 날갯짓은 때때로 비상보다 아름답다.

질문 2. 스스로 익숙함을 느끼는 영역, '컴포트 존comfort zone'을 벗어나려는 노력은 새로움을 추구하는 성향인 내게 언제나 오랜 화두였다. 익숙함은 쉽사리 당연함으로 변질되지만, 현 상태에 대한 끊임없는 재성찰과 개선 없이 앞으로 나아가기란 불가능하다. 새로운 불씨를 키우려면 먼저 잿더미를 뒤적여야 하는 법이니까. 연구나 비즈니스를 추진할 때도 맨 첫 단계는 어김없이 '문제 제기' 혹은 '문제 인식'이다. 즉, 모든 발전의 기틀은 철석같이 믿었던 것에 질문을 던지고 기존의 신을 끌어내려야만 닦아 낼 수 있는 것이다.

불안과 발전을 추동하는 에너지는 같은 뿌리에서 출발하므로, 무수한 가능성 앞에 가장 흔들리는 시기인 20대는 도전에 더할 나위 없이 적합한 때다. 알을 깨고 나오면 그 너머에서 새로운 세상을 발견할 수 있고, 넘어져도 다치지 않도록 최소한의 안전장치를 제공받는다는 것은 이루 말할 수 없이 큰 특권이다. 그 특권을 활용하는 것이 청춘에게 가장 으뜸가는 의무라 할 수 있다.

물론 도전의 실천은 말처럼 쉽지 않다. 불안을 극복한다는 것은 곧 스스로가 세운 한계를 넘어서는 것이기 때문이다. 하지만 새뮤얼 얼먼Samuel Ullman이 지은 시 "Youth"의 구절처럼 '청춘은 삶의 한 철이 아니라 마음의 상태Youth is not a time of life; it is a state of mind'이다. 그러니 좋은 쪽으로 움직이기 위해 끊임없이 노력하는 자는, 보상으로 영원히 푸르른 삶을 얻을 것이다.

질문 3. 저 또한 여러 차례 큰 변화를 겪은 사람으로서 불안에 굴하지 않고 새로움을 찾아 나서는 자세를 중요하게 생각합니다. 기현님의 푸른색을 응원합니다!

 오영택

1. 목표가 뚜렷하지 않고 어떤 일에 전력을 쏟지 않는, 무력감을 느끼고 있는 사람들에게 조금이라도 도전을 하여 자신의 발전을 이루라는 메시지를 준다.

2. 글을 처음 읽었을 때, 내가 성인이 되고 나서 겪었던 무력감들이 떠올랐고, 글쓴이와 비슷하게 학업에 열중하지 않고, 최선을 다하지 않았던 시간들이 생각났다. 그 당시에 이러한 글을 읽을 수 있었다면 조금이나마 목표를 잡고 도전할 수 있었겠다는 느낌을 받았고, 자신이 어떤 일에 열중할 수 있도록 노력하는 것이 필요하다 는 생각이 들었다. 그러한 도전과 경험들이 쌓인다면, 이를 토대로 더 큰 목표를 세울 수 있고, 자신이 하고자 하는 일에 대한 열정을 더 쏟으며 성장할 수 있을 것이라 고 생각한다.

3. 본인이 쉬운 길로 성취를 이룰 수 있음에도 불구하고 도전하려는 마음가짐이 대단하다고 느꼈다. 어릴 때 고생을 사서 한다는 말이 있듯이, 이러한 노력은 추후에 다 본인의 경험이 되어 도움이 될 것이므로 늘 최선을 다해 보았으면 좋겠다.

 Enter Reply

 긍정을 파는 감자

자신의 걸어온 길에 대해 자책은 덜고 스스로 칭찬을 한 줌 더
Positive G. 캔버스 토트백과 함께

실패에만 집중하며 자책하기보다는 잘한 점을 찾고 스스로 칭찬하자. 단, 칭찬을 아무 기준이나 규칙 없이 하지 말고 '기준과 규칙'을 두고서 하자. 먼저, 자신을 외부의 기준이 아니라 자신만의 판단으로 칭찬하여야 한다. 그리고 충동적이거나 과잉으로 칭찬하는 등의 감정적인 칭찬은 지양해야 한다. 즉, 하나의 도전이 끝나거나, 큰 도전에서 한 챕터가 마무리될 때마다, 최선을 다한 경험이 있는지를 스스로 판단하고 노력의 크기에 상응하되 소박한 보상을 해주면 된다. 소박해야 하는 이유는, 보상은 더 큰 도전을 하기 위해 적당한 동기부여로만 필요하기 때문이다. 그런 의미에서, 노력이 아무리 크더라도 보상의 상한선은 어느 정도 있으면 좋다. 상한선이 없다면, 이전과 비슷한 수준의 큰 노력을 하고서는 이번의 노력이 더 크다고 주관적으로 판단할 수 있기 때문이다.

그러면 이제는 다양한 보상의 형태 중에 어떤 보상이 좋을지 생각해보자. 나의 경우에는 쇼핑을 추천한다. 쇼핑은 소박한 보상이 가능한 보상 수단이며, 게임이나 유흥과 달리 자기계발에 조금 더 유리하기 때문이다. 또한 정해진 돈 안에서 물건을 고르는 과정에서 더 큰 만족감을 느낄 수 있다. 돈을 벌어본 사람이 돈의 가치가 귀한 줄 알듯이, 보상이라는 가치가 한정적일 때 그것이 귀한 줄 알게 되며, 자신이 했던 노력의 가치를 스스로 높게 인식하면서 자부심과 동기를 얻기 때문이다.

그렇기에 앞으로는 도전의 마무리로, 아쉬웠던 점에 집중하는 에너지의 조금을 덜어서, 잘했던 점을 찾아보는 데에 사용해보자. 그러고는 쇼핑과 같은 보상을 스스로 줘보자. 이때, 잘한 점에도 집중하라는 '긍정 감자'의 메시지가 담긴 이 토트백(Positive G. 캔버스 토트백)을 이용하면 어떨까? 부적합한 보상을 주거나, 자신의 노력을 스스로 폄하하는 등의 자책하는 경우를 더욱더 예방할 수 있을 것이다.

더 나아가, 앞서 소개한 '자책을 예방하고 칭찬을 하는 방식의 도전 시 유의 사항이나 팁' 외에 자신만의 유의 사항과 팁을 스스로 만든다면 도전에 대해 확신이 생기고 더욱 빠르고 강력한 성장을 할 수 있게 될 것이다. 그 발전의 시작을 이 Positive G. 캔버스 토트백과 함께 해보는 것은 어떨까?

 Enter Reply

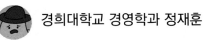 경희대학교 경영학과 정재훈

나의 노력이 학생의 발전이 되도록,
강사를 희망하는 학생분들에게

현재 우리나라 공교육에서는 학생들의 요구 사항을 들어주지 못하는 부분이 너무 많습니다.
이를 해결하기 위해 강사로서의 활동을 꿈꿉니다. 특히 논술전형을 위주로 학생들의 사고력
향상 및 대학 합격에 힘을 쓰려합니다.

대학에 합격하고 난 이후, 필자가 가장 먼저 했던 것은 중·고등학생들을 가르치는 일이었다. 동기 혹은 선배가 "넌 대학 로망이 무엇이냐?"라고 물어보면 '반수, 과외' 등의 답변을 일관적으로 할 만큼 입시와 중등교육에 대한 큰 열정을 가지고 있었다. 이러한 열정을 가지고 있었음에도 왜 사범대학, 넓게 보면 교육 계열에 진학하지 않았을까?

질문에 대한 답변은 다음과 같다. 필자는 학창 시절 당시 교사와 긍정적인 관계를 유지하였으나, 공교육 전반을 믿지는 못하였다. 이는 공교육의 신뢰성 문제가 많았기 때문이다. 그럼에도 아직 존경하는 교사분들이 많지만, 몇몇 시험 문항이나 평가 기준을 보면 분노에 차오르는 경우가 현존한다. 즉, 공교육의 많은 문제로 인해 필자가 교육 계열로 진학을 꿈꾸지 않게 되었다고 볼 수 있다. 공교육의 문제에 대해 더 자세하게 이야기해 보자면 고교에서 빈번한 시험/평가의 오류, 생활기록부 기재와 관련한 공정성, 입시 제도에 대한 공정성 문제 등으로 나누어 볼 수 있겠다.

우선, 평가에 관한 것으로는 교사의 재량에 따른 비합리적인 서답형 채점 기준, 어디선가 가져온 듯한 문항(흔히 문항 전재라고도 한다.), 그리고 지엽적인 수준까지 파고드는 일부 문항 등이 있다. 이렇게 문항을 열정 없이 만듦에도 변별에 실패하게 된다면, 난이도를 올리는 것이 아니라 괴기함이 강화된다. 이렇게 되면 적절한 평가를 시행할 수 없게 된다. 국가에서 교육 목표를 발표할 때 빠지지 않는 사고력과 창의력과는 무관하다고 볼 수 있다. 현재까지도 과외 학생들이나 후배들에게 내신 시험이 끝나면 문항 오류가 아니냐고 질문받는 경우가 빗발치며, 실제 전문가의 확인을 거쳤을 때도 명백한 문항 오류일 때가 많다. 그러나 끝까지 인정하지 않아 학교와 직접적인 마찰을 빚기도 하였다. 이러한 오류를 인정하지 않는 몇몇 공교육 기관으로 인해, 공교육 전반에 불신을 가지게 되었다.

또, 생활기록부(속칭 생기부, 자율활동, 봉사활동, 수상기록, 과목별 세부능력특기사항 등으로 이루어진다.) 기재에 관해서도 문제가 많았다. 모든 교사가 그러하지는 않겠지만, 본인의 입장과 반대되는 의견을 수업 중 표출하였다고 세부능력특기사항을 누락한 교사, 성적에 따라 차등적으로 생기부를 기재한 교사, 학생은 기재사항을 받아들여야 하니 소위 '갑질'을 행한 교사 등 수시 제도의 전반에서 활용되는 생활기록부에서도 공정하지 못한 사례가 많았다.

마지막으로는 입시 제도에 관한 공정성 측면이다. 위의 생활기록부 및 공교육의 공정성 논란과 더불어, 수시 제도(여기서는 학생부종합전형/학생부교과전형을 칭한다)의 문제이다. 앞서 발생한 공정성 논란은 학생부종합전형에는 비슷한 학생들에 비해 불리한 요인이 될 수 있으며, 학생부교과전형 또한 고교의 수준을 감안하지 않는다는 점에서의 비판점이 된다. 필자는 이러한 지점에서 공교육에 불신을 가지게 되었고, 그 반대급부로 사교육 시장에 관심을 갖게 된 것이다. 특히, 논술전형과 수능 위주의 전형에 대해 크게 관심을 지니게 되었다.

필자는 논술전형을 응시하였으나, 전반적인 사교육 시스템을 보면서 그 자체에 존경심이 들었다. 대부분의 사설 모의고사는 교육과정에 부합하면서도 문항을 명료히 출제하려 노력하고, 문항의 중복을 최소화하려 한다. 난이도 논란이 있을지언정, 만에 하나 문항 오류가 있다면 빠르게 수긍하고 정정하는 모습이 보였다. 또한, 타 학원의 자료 복제가 일어난 부분에 대해서도 깔끔하게 인정하고 사과하는 모습이 인상적이었다. 세부적인 부분(폰트, 글씨 크기, 일러스트, 문항 배치 등을 평가원의 것과 동일시함)까지 신경 쓰며 학생들을 배려하는 모습이 감동적이었다. 심지어 최근 유명 사설 모의고사의 시험지의 종이 질과 같이 평가에 연관되지 않은 부분도 적극적으로 수정하는 모습을 보며 더욱 존경하게 되었다.

물론, 대다수의 국민은 사교육에 대해 긍정적인 감정을 가지고 있지 않을 것이다. 비싼 교육비, '대치 키드'로 일컬어지는 사교육을 받은 세대와 관련한 기사까지 매년 작성되니 말이다. 물론, 사교육을 받는 학생들도 부정적인 감정을 가질 수 있다. 일률적인 관리 시스템, 어쩌면 통제적인 면도 존재한다. 그러나 위 사교육 모의고사 및 강사의 사고들을 고려해 볼 때, 이들만큼 교육에 열정적이고 학생에 대해 생각하는 사람들은 많이 없을 것이다. 그렇기에 나 또한 이러한 감정과 열정을 가지고 사교육 강사로 활동을 꿈꾸고 있는 것이다.

내가 제일 처음 시작한 강사 활동은 논술 과외였다. 이는 경희대학교 경영학과에 논술 전형으로 합격한 것에 기인한다. 종종 학원에서 일한 시기도 있으나, 대학 합격 이후부터 현재까지도 논술 과외가 주이다. 대부분은 논술을 글쓰기 경연대회로 알지도 모르지만, 논술만의 특색이 존재한다. 몇몇 학교의 내신처럼 단편적인 지식 전달이 아닌 통합적 사고 역량을 키워주는 문제라는 것이다. 특정한 관점에 한하여 다른 관점을 보거나, 여러 제시문을 동시에 비교하는 형태로 나오기에 오히려 글쓰기보다 답을 향해 가는 과정이 중요한 시험이다. 한편, 문항의 오류가 거의 존재하지 않는 편이다. 논술 또한 수능 못지않은 출제 과정을 엿볼 수 있다. 대학에서 합숙으로 출제하며, 여러 관점에서 다양하게 보고, 일부 대학에서는 합격자를 대상으로 검토를 맡긴다. 그렇기에 문항의 완성도와 변별력을 갖출 수 있는 것이다. 문항 오류가 없는 것은 아주 당연한 것인데도 지켜지지 않는 몇몇 사례를 보면 참 원망스러울 수밖에 없다. 이러한 논술 시험이 높은 경쟁률로 인해 운적 영역에 기인한 시험이 아니냐고 반문하기도 하지만, 적어도 내 입장에서는 내신의 서답형 문항, 교내 백일장 대회보다는 객관적인 시험이라고 판단한다. 참고로 필자는 교내 백일장 대회에서도 수상한 적이 있으나 아직까지 왜 수상하였는지 모른다.

자, 이제 도전으로 돌아와서, 이러한 논술 과외도 처음부터 현재와 같이 순탄치는 않았다. 몇몇 대학에서는 불친절한 해설이나 모호한 답안을 주어, 개인적으로 수정해야 했다. 또한, 이 탓에 학생 답안을 첨삭할 시 생각보다 더 디테일한 부분까지는 들어가지 못한 경우도 존재했다. 그럼에도, 과외 학생이 논술 전형에 자신감을 가져 계속 도전하려 하는 것이나, 논술 고사의 본질적인 부분을 꿰뚫어 보는 학생이 보일 때 나는 가장 만족감을 느낀다.

물론, 아직까지 나의 실력이 부족한 것과, 내 능력 밖의 일이 있음을 인지하고 있다. 내가 잘 모르거나, 아직 완벽히 답을 써내지 못한 대학의 과외 문의가 들어올 때가 있었다. 또한, 약술형 시험을 문의할 때에도 내가 응시하는 논술고사 형식과 다르기에 지도에 한계가 있었다. 마지막으로 수능 최저학력기준이나 내신으로 인해 실력을 갖춘 학생이 어쩔 수 없이 탈락하는 경우 내 역량을 벗어난 부분이라 가장 안타까웠다. 그럼에도, 나는 언제나 학생들의 합격과 행복, 넓게는 사고력 향상을 위해 도움을 주려 노력하고 있다. 원고지를 제작하고, 시험장 분위기 등 내가 느꼈던 모든 것을 전수하려 한다. 또, 강사로서 논술 고사에 대해 오해를 하고 있는 학생, 학부모에게 명확한 정보를 제공해 주고 있다. 추후 넓게는 교사에게도 영향력을 끼칠 수 있도록, 공교육을 통해서도 논술 고사를 대비할 수 있도록 영향력을 확대하는 것이 목표이다.

현재(2023년 9월) 꽤 살인적인 일정을 소화 중이지만, 나의 노력으로 인해 학생들이 더 좋은 대학에 진학을 할 수 있고, 그것으로 자신감을 얻을 수만 있다면 지금보다 시간을 더욱 집중적으로 노력할 것이다. 앞으로도 학생들의 요구에 맞게 유동적으로 바꾸고, 최대한 효율적으로 학습할 수 있는 방법들은 꾸준히 연구할 것이다. 이에 현재도 나의 교습 실력이 늘어나고 있다고 생각한다. 언제나 학생을 최우선으로 하고, 나한테 학습을 받으러 오는 학생이 후회하지 않도록, 시간이 아깝지 않도록 나의 역량을 키울 것이다. 마지막으로, 수능 최저학력기준 등 논술 고사 외적인 부분까지 컨설팅할 수 있는 더 나은 논술 강사가 되려 매진할 것이다.

"학생들이 다양한 측면에서 문제를 보도록, 그렇기에 항상 저부터 끊임없이 도전하고, 발전하는 강사가 되려 합니다. 늘 노력하겠습니다."

시험을 치르는 수험생에게 언제나 응원한다는 말을 끝으로 이 글을 마무리하겠다.

 작성자
#입시 #논술 #사교육 #강사 #평가 #출제

 작성자
1. 제 글에 대한 한 줄 평을 적어주세요!
2. 제 글에 대한 소감을 적어주세요!
3. 제 글을 읽고나서 제게 해주고 싶은 말을 자유롭게 적어주세요!
#긍파감챌린지

강민욱

1. 공교육의 문제와 강사를 꿈꾸는 사람들에게 전하는 글

2. 글쓴이는 공교육과 사교육을 비교하며 글을 시작하고 있다. 글쓴이는 자신이 본 공교육의 문제점을 지적하고 사교육의 장점을 나열하며 자신이 진로를 정한 이유를 말한다. 그리고 강사가 되기 위한 활동 중 하나로 논술 과외를 시작했다. 나는 공교육, 사교육을 떠나 누군가를 가르친다는 것 자체가 훌륭한 것이라고 생각한다. 하지만 글쓴이 생각에 의문이 들었다. 물론 사람마다 생각하는 바가 다를 수 있겠지만 시험/평가의 오류, 생기부 공정성 문제, 입시 제도의 공정성 문제 등 이러한 문제들은 강사보다는 교사로서 해결하는 게 더 가능성이 있을 것이다. 글쓴이는 앞의 문제로 공교육의 불신을 얻은 것이니 그럴 수 있다고 생각한다, 하지만 목표라고 했던 논술고사에 대한 학생의 오해, 학부모에게 정보 제공, 공교육을 통한 논술고사 준비는 강사로서 영향력으로 해결하는 것보다 교사로서 해결하는 게 훨씬 빨라 보인다. 물론 글쓴이의 강사가 되겠다는 꿈과 그를 위해 노력하는 점을 폄훼하는 것은 아니며 그러한 노력은 정말 대단하다고 생각한다.

3. 우리나라의 공교육을 생각보다 심각하게 생각하는 것 같다. 물론 학생들의 요구 사항을 들어주지 못하는 부분도 많다. 진지하게 교사가 되고 싶어 이수하는 것은 아니지만 교직과정을 이수 중인 학생의 입장에서 말하자면 공교육은 평준화를 위해 노력하고 있다는 점을 알았으면 한다. 글쓴이가 강사의 꿈을 가지고 원하는 목표를 이루기를 바란다.

 임평화

질문 1. 아는 것을 나누려는 이는 언제나 아름답다.

질문 2. 입시 제도의 허점 탓에 빚어지는 불공정은 엄연히 존재한다. 그러나 계급 구조의 불공정으로 최종 학력의 차이가 강화되는 것이 더욱 큰 문제라는 의견 또한 상당한 공감대를 자아내고 있다. 일반적으로 전자는 사교육에 좀 더 호의 어린 눈길을 보내고, 후자는 사교육 철폐와 동시에 공교육의 전면적인 개혁을 부르짖는다. 나는 개중 어디에도 속하지 않으나 굳이 따지자면 후자에 가까운 입장이기에 처음에는 미약한 거부감을 가지고 읽었다. 그러나 읽어내리는 동안 '가르치는 일'에 대한 글쓴이의 진심 어린 태도를 느끼고 작은 까끌거림은 금세 눈 녹듯이 사그라들었다.

정제된 지식이 막강한 권력으로 인정받는 우리 사회에서 입시 경쟁의 광풍은 언제나 치열하다. 그렇기에 배움의 본질에 가장 가까운 형태의 시험인 논술조차도, 채점자의 주체적 판단이 개입할 여지가 있다는 이유로 딱딱한 오지선다형에 밀려나는 형국이다. 이러한 실정에서 시험의 공정성과 교육의 질을 개선하려는 뜻을 품고 글쓰기 교육을 향해 열정을 불태우는 글쓴이의 의지는 높이 평가받아 마땅하다. 아쉬움이 만연한 교육계의 현실에 맞서 글쓴이가 선택한 대안이 많은 학생에게 울림과 행복을 주는 길이 되기를 소망한다.

질문 3. '선생님'은 정말 멋진 직업이에요. 가끔 유튜브 알고리즘에 인강 강사님들의 웃긴 어록이나 인생 조언들이 뜨는데, 시청할 때마다 역시 누군가의 배움을 돕는 사람은 반짝반짝 빛난다는 생각이 듭니다. '먼저 난 사람 先生'으로서 학생보다 더 먼 곳을 미리 살피고, 앞길을 걷는 일이 수월하도록 손을 잡아 끌어주는 사람이 되실 수 있기를 진심으로 응원합니다.

 오영택

1. 이 글은 저자의 사례를 들어 본인이 원하는 일을 할 수 있도록 돕는 글이다. 특히 원하는 일과 자신이 생각하는 실제 일이 같지 않더라도 시야를 넓히면 본인이 원하는 쪽에 대한 해답을 찾을 수 있다고 말한다.

2. 글쓴이는 자신이 원하던 일이, 그 일을 현재 업으로 하는 사람과 그 환경 때문에 막혔음에도 불구하고 시야를 넓혀 이겨내고 결국 자신이 하고 싶은 일을 하고 있다. 그 과정에서 쉴 새 없이 바쁘고, 힘든 부분도 있지만 보람을 느끼며 자신의 일을 하는 모습이 멋있다고 느꼈다. 이는 본인이 하고 싶은 일을 계속 해도 될지, 이 길이 맞는 건지 불안하고, 고민하는 사람들에게 어떻게든 길은 있으니 포기하지 말고 계속하라고 말해준다.

3. 책 '어린왕자'에서 주인공이 어렸을 적 화가를 꿈꾸다 어른들이라는 벽에 막혀 포기했던 것처럼, 글쓴이는 주변의 각종 상황들에 대한 벽을 만나 포기할 수도 있었으나 결국 자기가 원하는 일을 찾아서 해냈다. 그러한 끈기와 꿈에 대한 열정에 박수를 보낸다.

 Enter Reply

긍정을 파는 감자

긍파감 후속작 제작 진행 중

요즘 사회는 정해진 길을 강요하는 경우가 많은 것 같아요. 젊은 사람들이 스스로 사회를 관찰하고 경험하며 각자의 길을 만들어나갈 여유조차 주지 않고 정해진 성공의 길을 걷게끔 유도하는 식으로요. 성공을 향한 방향성이 있다는 점에서는 장점일 수도 있겠으나, 다양성을 제한함으로써 개개인의 재능을 마음껏 발휘하지 못 하는 것은 사회 문제라고 생각해요. 이런 사회 문제에 관심이 있었던 저희는 이 문제점을 개선함에 있어서 조금이라도 도움이 되고 싶었어요. 게다가 이전부터 사회에 작게나마 긍정적인 영향을 미치고 싶어했죠. 이 두 마음이 합쳐져서 긍파감을 만들게 되어 책을 만들게 되었답니다.

이러한 마음가짐으로 긍파감의 첫 책에 참여한 사람 중 한 명이 자신의 재미있는 이야기를 바탕으로 2번째를 만들고 있어요. 이 책이 2024년 7~8월에 나올 예정이니, 많은 관심 부탁 드립니다!

Enter Reply

NOT FOUND

감사의 말 (부편집장)

6개월에 걸친 이 프로젝트도 끝이 났습니다. 쉽지만은 않았으나 이렇게 결실을 보게 되어 매우 기쁩니다. 이제 막 첫걸음을 뗀 출판사이지만, 그 시작에 함께할 수 있음에 깊이 감사합니다. 서적을 출간하는 과정이 참여하신 여러분께 보람되면 좋겠습니다. 이하 감사의 말입니다.

가장 먼저 부족할 수 있는 서적을 구매하시고 끝까지 읽어주신 독자 여러분께 감사의 말씀을 전합니다. 다음으로, 다소 고되고 힘들었을 출판 과정에 묵묵히 제 역할을 해주신 편집장님, 저자 여러분, 교열부, 평론부, 삽화부 구성원 여러분께도 감사하다는 말씀을 남기고 싶습니다. 모든 분이 출판은 처음이라 어렵고 고되기도 하였는데, 그럼에도 이 글이 세상에 나올 수 있음에 감사합니다. 또, 항상 제게 응원과 열정을 불어넣어 주시는 가족과 친한 지인 여러분께도 진심으로 감사하다는 말씀 남기며 모든 일이 좋은 방향으로 나아가기를 기원합니다. 일일이 언급하지는 못하지만, 받은 응원 늘 간직하겠습니다. 다시 한번 서적을 구매해 주셔서 감사합니다.

부편집장 겸 공저자 전민기 드림.

))) NOT FOUND

감사의 말 (편집장)

안녕하세요? 이 책을 기획하고 편집장을 맡은 '긍정을 파는 감자' 대표 강경민입니다. 먼저 이 페이지를 빌려 독자 여러분께 감사의 말씀을 드립니다. 저희의 첫 여정을 선택하시어 마지막까지 함께해 주신 점 대단히 감사합니다.

이어서 함께한 우리 구성원들에게도 무한한 감사의 인사 전하고자 합니다. 먼저 우리 출판사 설립부터 함께 고민하고 아낌없는 조언을 해주었던 제 절친 수박(가명). 그 친구가 없었으면 이 출판사 자체가 없었을 것입니다. 그리고 저를 뒷받침해 주고 응원해 주며 편집 일을 우수하게 해준 전민기. 민기가 없었으면 이 책은 세상의 빛을 볼 수 없었을 것입니다. 그리고 또, 엄청난 열정으로 세심하고 꼼꼼하게 책 디자인을 맡아준 채건이 형. 채건이 형 덕분에 우리들의 소중한 메시지가 독자에게 매끄럽게 전달되었을 겁니다. 그들 외에도 제 도전에 저자로서 함께 해준 은진 누나, 종서 형, 용권이 형, 기현이, Hieu, 민욱이 형, 영택이 형, 평화님, 재훈님, 김범석 교수님과 일러스트를 맡아준 제 친누나, 나예님 그리고 로고 제작을 맡아준 은별이 그리고 교열을 맡아준 남주님 모두 감사합니다. 비록 약술하기는 했지만, 그들이 아니었다면 하나의 책이 완성되지 못했을 정도로 소중한 분들이고 감사함을 느낍니다.

마지막으로 또, 지금까지 '긍정을 파는 감자'의 첫 도전이었습니다. 여러분 모두의 도전에 희망이 가득하여지시길 바랍니다. 저는 세상에 긍정적인 영향을 미치겠다는 목표 아래 최선을 다해 도전과 관련하여 도움이 될 수 있는 콘텐츠를 세상에 선보이겠습니다.

편집장 겸 공저자 강경민 드림.

찾는 페이지 없음

이 상황이 반복되는 이유

- 본 책의 여정을 완벽하게 마무리한 경우

- 도전을 시작할 힘과 용기를 얻은 경우

- 도전함에 있어서 자신만의 유의 사항과 팁을 알고 있는 경우

- 관심있어 하는 사회 문제와 관련하여 도전하고자 하는 목표가 명확히 있는 경우

- 세상에는 다양한 경험과 생각을 가진 사람들이 함께 살아감을 깨닫게 된 경우

당신의 프로필은 변했나요?

신분
키워드
한줄소개

긍정 감자들의 도전기

언제나 겸손한 자세로, 세상에 긍정 한 줌을 들려준다. 긍정을 파는 감자

편집장 강경민
부편집장 전민기

게시글 저자 윤종서 진하영 DUONG TRUNG HIEU 김용권 전민기 김범석 김은진 문채건 김수박 김기현 정재훈
광고글 저자 강경민
댓글 저자 강민욱 임평화 오영택

책 디자인 콘티 강경민
책 디자인 문채건
표지 일러스트 강문주
게시글 내 일러스트 콘티 강경민
게시글 내 일러스트 디자인 강문주 이나예
국문 로고 콘티 강경민
영문 로고 및 SNS 아이콘 콘티 조은별 이하은
로고 디자인 조은별
광고글 이미지 강경민
교열 김남주

편집장 이메일 rudalsdlqslekaks@gmail.com   **출판사 인스타그램** positive_gamja
기획 강경민, 김수박
사용한 폰트 KoPub World 서체, Playfair Display, 나눔명조, 완주대둔산체, 아리따 돋움, 은 돋움, 이서윤체, 부크크 고딕
아이콘 Microsoft on Iconfinder | https://www.iconfinder.com/fluent-designsystem

ISBN 979-11-985969-9-4 **가격** 17,500원